La comida de Ookie

por

Kate Foster

Ilustraciones de

Alexander Levitas

For Synphen–K.F.

For information contact:
  Mondo Publishing
  980 Avenue of the Americas
  New York, NY 10018
  Visit our website at www.mondopub.com

Printed in USA

09 10 11 12 13 PB 9 8 7 6 5 4 3 2 1
10 11 12 13 14 SP 9 8 7 6 5 4 3 2 1
ISBN 978-1-60201-998-0 (PB) ISBN 1-60175-756-5 (SP)

Design by Michelle Groper

Contenido

Todos los momentos están conectados.

Cartas raras de amigos por correspondencia

Viernes, 12 de junio de 2009

Querido Ookie:

Probablemente hayas notado que he dejado de llamarte Diario. Espero que no te moleste. Sé que las niñas te han llamado Diario durante mucho tiempo. Son niñas que sueñan con ponis y pijamadas. Esas niñas han vaciado su corazón en ti durante siglos. Son como Julia McNight.

Julia, la del pelo perfecto y los numerosos premios a la buena ciudadana prolijamente apilados dentro de su escritorio. Se sienta justo en la mitad de mi salón de quinto grado, como el sol en el centro del sistema solar. La niña hace todo bien. Sé que ella te llamaría por tu nombre correcto. Pero yo no me siento ni como Julia, ni como nadie más. Además, tú tampoco te pareces al típico diario de corazones y unicornios. (Sin ofender). Soy nada más que una común Sofía Lin. Y tú eres un viejo cuaderno con espiral común. Parece que tú y yo deberíamos hacer nuestras propias reglas.

Te llamaré Ookie. Espero que esté bien. En mi clase de

jiujitsu, el *uke* (que se pronuncia como tu nombre, "uki"), es la persona sobre la que pruebas tus movimientos de artes marciales. Parece que no te importara lo que escribo acá. Ya ves, nunca dices, *Sofía Lin, déjate llevar. ¡Controla ese temperamento tuyo antes de que se te salga por los oídos!* Los maestros siempre dan consejos. Tú no. Tú nada más despliegas una línea azul tras otra para que mis palabras se deslicen por ellas. Nunca dices, *¡Por Dios, Sofía! Este cuarto se ve como si hubiera sido destruido por el demonio. ¿Cuándo aprenderás a ordenarlo?* No tienes nada en contra de un cuarto desordenado. Mi madre piensa que yo personalmente llamo por teléfono a un duende malo o algo así. *Hola duendes, ¿están? Por favor envíen uno de esos terribles tornados. Uno de esos que están especialmente pensados para producir un desastre en un cuarto, ¿sí? ¡Quiero volver loca a mi madre!*

Así que probablemente te preguntes qué pasó hoy, ¿no? Mi día comenzó bien. Tomé el metro a dos paradas de la escuela, como todos los días. Después del primer timbre, descubrí que había sacado una A en mi examen de geografía. Me gusta la geografía. Veo el mundo como un gran rompecabezas. Y si hay algo que no soporto, es una pieza perdida del rompecabezas. Creo que es por eso que sé los nombres de todos los países del mundo. Es extraño para alguien que tiene un cuarto al estilo de un tornado, lo sé. Principalmente me gusta que las cosas sean organizadas y lógicas. Y si le preguntaras a mi maestro, el señor García, te diría que ese es mi mayor problema.

Hoy me enteré de que participaremos en un proyecto escolar de una semana. El lunes, los niños de quinto grado de todo el distrito van a tomar clases en una escuela diferente.

Eso significa que los alumnos de otras escuelas se sentarán en nuestros pupitres. Escucharán al Sr. García hablar de lo grandiosa que es la Constitución. (Si él no se hubiera casado antes con la Sra. García, la maestra de música, creo que lo habría hecho con la Constitución).

Entonces, el Sr. García nos dijo que esta sería una buena práctica para nuestra transición a la escuela media el año que viene y cómo íbamos a crecer (como si fuéramos un puñado de semillas que va a desparramar por toda Nueva York). Cuando volvamos, vamos a compartir nuestras experiencias y contaremos lo que hemos aprendido de nuestros nuevos amigos. No sé por qué el Sr. García piensa que haremos amigos en vez de enemigos. Así es él.

Después de explicar el proyecto, el Sr. García nos repartió cartas. Eran de nuestros amigos por correspondencia, los niños con los que íbamos a formar pares en la escuela que íbamos a visitar. Mi carta estaba doblada en un origami con forma de gato. Excepto por el hecho de que no soporto los gatos, parecía bastante interesante.

El papel para escribir plateado era llamativo. Debe haber sido doblado montones de veces en pequeños y prolijos pliegues. En letras grandes, se leían las palabras "PRESIONA AQUÍ" en la cola del gato, así que eso hice. ¡De repente, el papel saltó en el aire y se desplegó solo! Dejó salir un *ronroneo* antes de posarse en mis manos.

Miré a mi alrededor. Afortunadamente, todos estaban tan emocionados de recibir su carta que ni siquiera notaron cómo mi carta había saltado en el aire. De todas formas, me acurruqué en mi asiento, por si la carta me hacía más trucos. Cerré un ojo antes de mirarla de cerca, sólo por seguridad. Esto es lo que decía:

Saludos, Agente Sofía:

¡Me pone muy feliz saber que eres mi amiga por correspondencia y que vas a venir a visitarme! Por favor, no te pongas una peluca empolvada ni un disfraz de miriñaque esta vez. Tenemos mucho que hacer. Las cosas se pueden complicar. ¡Nunca se sabe!

Probablemente montemos a Kitty, así que espero no seas alérgica a los gatos.

Saludos,

Eulalia Rododendro

¿Amiga por correspondencia? ¿Peluca empolvada? ¿Un gato tan grande que se puede montar como un caballo? ¿Qué estaba pasando? Levanté la mano.

—Estee, Sr. García, ¿qué son los miriñaques?

—Enaguas llenas de volados. Las mujeres y las niñas las usaban hace varios años. ¿Por qué preguntas, Sofía?

Eulalia claramente vivía en un mundo de fantasía. Aunque me gustaba el nombre "Agente Sofía", el resto de la carta no tenía sentido.

—Creo que me asignaron la compañera incorrecta —traté de explicar.

Eso no era lo que se le debe decir al Sr. García. Él cree que las nuevas experiencias son el néctar de la vida... o algo así.

—Sofía Lin —comenzó, y a esa altura creí que era una causa perdida—, hay ciertos hechos de la vida a los que te vas a tener que acostumbrar. Estoy seguro de que tu amiga por correspondencia te ofrecerá muchos momentos de aprendizaje nuevos y enriquecedores. No todo es tan prolijo y ordenado como un hilo de ADN, ya sabes.

Auch. El Sr. García sabe que si me pudiera casar, probablemente lo haría con un ADN. Aprendí sobre eso el año pasado. Desde entonces, no he podido parar de pensar en cómo el ADN (las partículas más pequeñas y fiables de vida) puede explicar la existencia de casi todo. Pero hasta los poderes del ADN podrían no poder explicar a Eulalia Rododendro. Esa chica parece de otro planeta.

Por alguna razón, busqué a Tomás después del comentario del Sr. García. Estaba sentado al final del salón y se reía burlonamente con un grupo de chicos. No era para asombrarse. Mi mal llamado mejor amigo se convirtió en un completo alienígena en cuarto grado. Probablemente venga del mismo planeta de Eulalia.

—*Sofía*

P/D: En jiujitsu siempre nos turnamos para ser el uke. He estado tratando de pensar qué podría hacer por ti a cambio de ser el único no alienígena que tengo para hablar. Parece que devoras palabras, así que he decidido darte algunas que parecen ser especialmente llenadoras. Aquí hay una para el día de hoy: *aturdido*. ¿Qué sabor tiene? Significa "estar desorientado o confundido". Si te sientes aturdido por la carta de Eulalia, querido Ookie, no estás solo. Aún está ronroneando en mi mochila….

En el dojo

Sábado, 13 de junio de 2009

Querido Ookie:

Cuando abrí la puerta del dojo donde practicaba jiujitsu, me sentí como una babosa humana nadando en algodón de azúcar.

—Hola, Sofía —dijo el Sensei Alex. Me observó de cerca—. ¡No me digas que tú también! ¿Qué pasa con las bolsas debajo de tus ojos?

—Huhdzpluhn —respondí camino al vestuario. Tenía demasiado sueño como para articular palabras reales.

Lo que había ocurrido la noche anterior era difícil de explicar. Había tratado de contarle a mi madre sobre eso en el desayuno. En vez de eso, ella había controlado mi temperatura y me había dado una dosis gigante de vitamina C. ¿Cómo le explicas a un ser humano normal, racional, que una carta que ronronea te mantuvo despierta hasta el amanecer?

Había sido una larga noche. Durante horas, me había estado moviendo y dando vueltas mientras la carta ronroneaba en mi mochila. Me ponía incómoda pensar en lo que podría significar el ronroneo. Sin embargo, pensar en lo que podría pasar en la escuela el lunes me ponía más incómoda aún.

Le pedí a la carta que se quedara quieta. Me sentí tonta hablándole a un pedazo de papel. Hasta intenté cantarle algunas canciones de cuna con la esperanza de que se durmiera. Pero mi canto parecía despertarla aún más. Empezó a ronronear todavía más alto. ¡Se escuchaba como si una motocicleta estuviera probando su motor en medio de mi cuarto!

Cerca de la medianoche, la situación empeoró. La carta empezó a maullar. Sonaba como un aullido agudo. Si Eulalia pensaba que esto era una broma, el Sr. García estaba muy equivocado en pensar que podíamos ser amigas.

Salí de la cama. Estaba tan oscuro que tropecé con mis patines y pisé algo pinchudo. Créeme, estaba lista para convertir esa carta en un avión de papel para no tener que saber nada más de ella. Cuando finalmente llegué a mi mochila, encontré el chillón papel brillante entre mi cuaderno de matemática y mi tarea de español. Lo saqué de allí. De inmediato comenzó nuevamente con su sordo ronroneo.

Como ya no sabía qué más hacer, me metí en la cama con la carta. A esas alturas ya estaba lista para empezar a aullar yo misma. Para mi sorpresa, sin embargo, cuando puse el papel a mi lado, saltó en el aire y se enrolló a mis pies. Después de un rato, comenzó a roncar suavemente. Era el sonido más tranquilo que el papel había hecho desde que apreté su cola. Por último, cuando estaba saliendo el sol, me dormí.

Así que ahora podrás entender por qué no lucía muy fresca cuando, a rastras, llegué a la clase de jiujitsu a las

9:00 de la mañana. Con mi traje blanco y mi cinturón azul, salí del vestuario de niñas y me dirigí directo a Tomás. Tenía puesto exactamente el mismo traje que yo.

—Te ves terrible —le dije. De repente recordé lo que el Sensei Alex me había dicho. Creo que no era la única que estaba dormida hoy.

—Qué bueno verte, Sofi —respondió Tomás con una amplia sonrisa. Lucía como si recién terminara de jugar una maratón de ping-pong toda la noche con su hermano Max. Se veía cansado, pero me sentía muy irritada por su tono amistoso como para preguntarle qué había hecho. ¿Cómo una persona podía actuar de maneras tan diferentes? No tenía sentido.

—Tomás —le dije— sólo hay un mundo. Si no quieres ser mi amigo en la escuela, entonces no sé por qué querrías ser mi amigo en jiujitsu.

Tomás parpadeó un segundo. Parecía un poco sorprendido. —Ya sabes —dijo haciéndose el "popular", tal como actúa en la escuela—. No sé por qué estás tan tensa. Tal vez yo no encajo en tu cuadro de organismos. Pero ese no es mi problema. ¡Ah! además, ya no me llamo Tomás. Me llamo "La Res".

Sentí que me salían lágrimas. Acomodé mi traje y miré hacia abajo para simular que ajustaba el nudo de mi cinturón con unos tirones. Durante años, había llevado listas de todos los insectos, reptiles, aves y mamíferos que había visto. Tomás me ayudaba. Habíamos visto una zarigüeya y un ratón de patas blancas juntos en el parque. ¿Qué significaba eso de que "no encajaba en mi cuadro de organismos"? ¿Quería ser un humano y un gran alienígena imbécil al mismo tiempo?

De repente, ya no me sentí cansada. No estaba enojada con Tomás por hacer que mis listas se vieran tontas y por no querer ser mi amigo en la escuela. De todas maneras, ¿qué clase de nombre ridículo era "la Res"?

—Si ya no eres Tomás Carver, supongo que serás "la Res" Carver. ¿O debería llamarte Carnicero? —Me reí burlonamente.

Tomás se sonrojó rápidamente. Creo que fui demasiado lejos. Cuando Tomás estaba en segundo grado, conoció a un cerdo llamado Ramona en la granja de su tío. Tomás es vegetariano desde entonces. No cree que sea bueno comer carne, ni siquiera pescado.

Los orificios nasales de Tomás comenzaron a hincharse. Justo después el Sensei Alex asomó su cabeza por la puerta del gimnasio. —Chicos, llegan tarde. No sé qué les pasa, pero ya estamos practicando nuestros puñetazos. ¡Cállense!

Seguimos al Sensei Alex al gimnasio arrastrando nuestros zapatos y rodando por la colchoneta. Evitamos mirarnos todo el tiempo. Comencé a calmarme una vez que empezamos a dar puñetazos con el resto de la clase. La clave del jiujitsu es evitar la lucha en primer lugar. Si necesitas pelear, te enseña cómo usar la fuerza del propio atacante para ganar el control. Se requiere concentración para mantener el equilibrio y pensar en los movimientos. Me alegró olvidarme de Tomás y de lo que había dicho.

—Está bien, hora de la batalla —dijo el Sensei Alex después de que terminamos con nuestros ejercicios y de mostrarnos algunas técnicas nuevas. Tomás se acercó y se paró frente a mí. Hizo una reverencia sin sonreír. Yo también hice la reverencia. Aunque estuviéramos enojados, Tomás aún era la mejor persona para trabajar en la clase de jiujitsu.

Eso se debía a que teníamos exactamente la misma estatura. Además los dos teníamos cinturones azules. Eso significa que estamos al mismo nivel. Nos turnamos para practicar nuestros movimientos y para ser el uke, y nos saludamos con una reverencia después de cada movimiento, tal como nos enseñó el Sensei Alex.

Llovía después de la clase. Mi madre había estacionado afuera del dojo y me esperaba en el automóvil. Me miró con cuidado y me preguntó si necesitaba más vitamina C. Dije que probablemente me volvería anaranjada si tomaba más.

—Es el exceso de vitamina A lo que pone tu piel anaranjada —dijo. Después no habló más del tema. Los limpiaparabrisas chillaron contra el vidrio todo el camino mientras volvíamos a casa. Eran como tontos metrónomos sincronizados con la tonta gran historia de mi vida.

Todos creen que tengo algo malo, Ookie. Hasta mi mejor amigo cree que he perdido la cabeza en listas y que no puedo ver lo que hay a mi alrededor. Lo primero que te enseñan en jiujitsu es a pensar sobre uno mismo en el mundo y luego a pensar antes de hablar o actuar. ¿Por qué no puedo ver bien o decir bien las cosas? Me siento como la pieza de un rompecabezas que no encaja o como el país que no se puede encontrar en el mapa. Todo parece oscuro y tormentoso en mi cabeza, lo que me recuerda que es hora de tu cena. El plato de hoy es triste porque la tristeza es el único ingrediente que tengo ahora. Disfruta la *melancolía*: cuatro sílabas lluviosas con un poco de vitamina C.

—*Sofía*

3

El caniche de la señora Jackson

Domingo, 14 de junio de 2009

Querido Ookie:

Nunca pasa nada en mi vecindario. En realidad, estoy muy aburrida aquí en el porche mirando cómo una mosca se frota las patas. El bicho se ve como si estuviera planeando el robo de un banco. Pero en realidad se está aseando, como cualquier mosca aburrida. Si mi papá estuviera aquí, probablemente sacaría una bandita de goma de su bolsillo y ¡zas! Él quitaría a esa mosca de allí de un solo tiro.

Mi padre es entomólogo. O sea, la persona que estudia insectos. No es usual que use un insecto como blanco. Normalmente los usa como muestras para estudio. Sin embargo, sé por qué le haría daño a la mosca. Antes de que mis padres se divorciaran, viajábamos todo el tiempo. Perseguíamos a los insectos que mi padre quería estudiar. Durante el verano, cuando tenía siete años, vivíamos en el norte de Canadá. Allí las moscas nos comían a horribles pedacitos. Era como si fuéramos una mazorca de maíz humana. Desde entonces, mi papá se ha puesto duro con las moscas. No es que piense mucho en mi papá, ya que el está muy ocupado con su propia vida. Sólo pienso en lo que haría si estuviera por acá.

No puedo creer que la cosa más importante de mi vida sea una mosca tomando un baño.

Espera... creo que escucho pasos. Ya vuelvo.

Ookie, ¿sabías que no es de damas escupir semillas de sandía? Jamás lo intentes. De lo contrario, te puedes ganar un sermón de la Sra. Margaritis. Es la mujer que vive en el piso de arriba. Aquí estaba yo, comiendo sandía y escribiendo en mi diario. Estaba ocupada en mis cosas. De repente, escuché:

—Sofía, querida. Es de mal gusto para una jovencita que la vean arrojando semillas de cualquier tipo por el patio. Es de lo más *inapropiado.*—(*Inapropiado*, directo de la Sra. M para ti en una bandeja de plata, Ookie). Me di vuelta. Allí fue cuando vi a la Sra. Margaritis cerrando la puerta de la calle detrás de ella. Por alguna razón, ella siempre tenía tiempo para darme una lección rápida de etiqueta, aun cuando llevaba perlas y caminaba con su bastón. Claramente se estaba dirigiendo a un lugar mucho más interesante que nuestras escalerillas de entrada.

Dejé el pedazo de sandía que estaba comiendo. Me enderecé y traté de alisar mis pantalones cortos de jean de manera delicada y femenina. Tuve en cuenta lo que me dijo.

—¿Es escupir lo que está mal, o es lo de *ser visto* lo que causa problemas? —le pregunté amablemente—. ¿Estaría bien si escupo semillas en privado?

La Sra. Margaritis me miró perpleja. —Por favor, no

digas "escupir", Sofía. No es digno de una jovencita. A tu edad, la sandía debería comerse con tenedor y las semillas deberían tratarse con cuidado. Este es el momento en el que deberías ocupar tu lugar en el mundo seriamente. Necesitas pensar en tus acciones. —La Sra. Margaritis aprendió inglés leyendo todos los clásicos de la Biblioteca Pública de Nueva York cuando se mudó aquí desde Grecia. Eso fue como hace un siglo. Con su vocabulario, debe de tener el mejor diario de toda la ciudad.

Nos despedimos, y la Sra. Margaritis se apresuró para bajar por nuestra calle. La empuñadura de su bastón brillaba al sol como una bola de cristal. Ahora estoy aquí, sola en las escalerillas otra vez. A mi lado sólo hay unas cáscaras de sandía. Mi estómago se sentía un poco incómodo. ¿Qué sucede al final del quinto grado? De repente soy mitad una niña y mitad una rara "jovencita". He estado dándole vueltas a ese asunto de por qué está mal escupir semillas en el jardín. Las semillas hasta podrían dar plantas nuevas de sandía en unos meses. ¿Por qué es malo? No tiene sentido. No puedo imaginarme a la Sra. Margaritis escupiendo semillas, ¿o sí? Siempre supuse que no le gustaba la sandía.

Espera. Creo que veo a Jesica Mixer. Es la chica nueva de mi clase. Jesica es la única persona que conozco que lee un libro mientras camina por la acera. ¿Cómo puede hacer eso con su pelo tan largo y salvaje encima de los ojos? Ya regreso....

Bien, ya estoy de vuelta. He aquí una historia que nos remite al pasado. Jesica Mixer es muy diferente de Julia McNight y sus amigas. Es decir, es un poco rara. Por ejemplo, hace unas semanas desapareció de la clase de gimnasia. Tal vez estaba en la clase de matemáticas, que es justo antes de la de gimnasia. Después, de alguna manera desapareció cuando salíamos de los vestidores antes de clase. Después reapareció para la clase de ciencias sociales.

Durante la clase de gimnasia, cada vez que Coach, nuestro maestro, llamaba a Jesica, mencionaba algo sobre el trabajo odontológico de las aves. Suponía que le estaban colocando aparatos. Pero después de más de una semana de estar ausente, Coach se preocupó porque tal vez Jesica tuviera una emergencia odontológica. Averiguó todo. Lo que descubrió fue que Jesica ni siquiera había *visto* al dentista.

Lo que se dice en la escuela es que Jesica ha estado dando excusas falsas para salir de la clase de gimnasia. Ha estado haciendo eso para estar en el salón de arte, trabajando en algunas pinturas de paisajes lunares o algo parecido. Nuestro director, a quien le gustan los afiches de gatitos pomposos que se asoman por una canasta, opinó que los dibujos eran perturbadores. Así que ahora, Jesica tiene que ir con el consejero escolar para tratar su obsesión con los paisajes deprimentes y su aversión al kickball. Mientras tanto, nuestro maestro de arte ha decidido que Jesica es un genio creativo. La deja quedarse en el salón de arte hasta tarde para pintar lo que ella quiera.

Me impresiona un poco que Jesica fuera capaz de salirse con la suya y hacer lo que quería, al menos por un rato. Al mismo tiempo, sin embargo, me da un poco de miedo. Casi nunca habla. Cuando lo hace, dice siempre exactamente lo que piensa. Por eso cuando la vi caminando por aquí cerca hace unos minutos, me sentí un poco nerviosa. Para evitarla, actué como si estuviera muy ocupada escribiendo algo. Pero entonces, justo cuando Jesica estaba frente a mis escalerillas, el chico de enfrente, que tiene

una gran camioneta deportiva activó la alarma de su auto accidentalmente. Eso me hizo saltar.

Jesica me miró con sus ojos que brillaban detrás de la cortina de cabello. —El mañana me provoca una sensación rara — anunció. Luego se fue caminando y hundió su nariz en el libro otra vez.

¿El mañana me provoca una sensación rara? ¿Qué se suponía que significaba eso? Bueno, a mi también me provoca una sensación rara, pero después tengo que ir a la escuela con Eulalia Rododendro, la extraordinaria bromista. ¿Cuál era la excusa de Jesica? ¿Y para qué me lo estaba contando?

El día de hoy ha comenzado como el más aburrido de mi vida y ha terminado como uno totalmente extraño. Juro que acabo de ver un gigante pájaro rosado volando en círculos sobre mi apartamento y observando hacia abajo a través de un par de enormes binoculares. Creí que era la gente la que observaba a las aves a través de binoculares, no al revés. ¿Qué está pasando? ¿Y por qué el caniche de la Sra. Jackson que vive al lado está ladrando al cielo de esa manera? Es como si hubiera visto a un cartero volador con disfraz de gato.

Aquí va una palabra para ti, Ookie: *inexplicable*. Eso significa, "extraño o misterioso, especialmente de una manera desestabilizadora". Tengo una sensación inexplicable ahora. ¿Por qué? Déjame ver, tal vez porque la carta de mi amiga por correspondencia me mantuvo despierta con su ronroneo hace dos noches. O tal vez porque acabo de ver a un gigante pájaro rosado con binoculares. Las cosas parecen ponerse cada vez más extrañas.

—*Sofía*

Diez barritas de goma de mascar

Lunes, 15 de junio de 2009

Querido Ookie:

Utopía. Un lugar perfecto justo aquí en la Tierra. O al menos yo creo que es la Tierra. Definitivamente era perfecto, excepto por el olor. Pero me estoy adelantando a los hechos.

Esta mañana, justo a las 8:30 a.m., mi clase se reunió en la acera frente a nuestra escuela, la Primaria Henry David Thoreau. Algunos niños vestían ropas hermosas. Supongo que querían causar una buena impresión cuando llegaran a sus escuelas externas. Julia McNight, por ejemplo, llevaba puesto un par de botas vaqueras de verdad y un vestidito a cuadritos rosado nuevo. Eulalia me había dicho que montaría un gato gigante, así que me puse unos jeans gastados y mi camiseta negra con estampado de una cara de gorila.

Durante el desayuno, mi madre me había dicho que me veía muy seria con la camiseta de gorila. Me había sugerido ponerme algo más colorido. ¡De ninguna manera! Si había un día en el que tenía que verme feroz era hoy.

—Los gorilas de montaña son animales en peligro de extinción —le dije—. Hay menos de mil en todo el mundo. Si no me pongo esta camiseta, la gente se olvidará completamente de ellos hasta que dejen de existir. Esta es una camiseta muy importante, mamá. —Puse mi cara más seria. Realmente me preocupo por las especies amenazadas, pero esta mañana además quería verme tan ruda como un gorila peludo que pudiera hacer que un gato gigante pensara dos veces antes de comerme como un bocadillo de mediodía.

Podía darme cuenta de que mi mamá estaba dividida entre mi deseo de salvar a los gorilas, y el suyo de verme como un arco iris humano. —El negro no parece ser el color adecuado para ti, que tienes el cabello oscuro —murmuró. Pero su corazón no estaba allí, ahora que la había sorprendido con mis estadísticas sobre los gorilas. Además, era hora de ponerse en marcha. Cerramos la puerta con llave. Ella se fue en dirección a su trabajo, en la oficina de correos. Yo me fui en la dirección opuesta, rumbo al metro y de allí a la escuela.

Así que allí estaba yo, con un aspecto lo más rudo posible, mientras el Sr. García andaba por ahí diciéndole a todo el mundo a dónde ir y recordándoles comportarse como embajadores modelo de la Primaria Henry David Thoreau. A algunos niños los llevaban sus padres hasta las escuelas que les correspondían, mientras que otros se iban autobuses. Pronto la acera estuvo vacía. Aún no tenía idea de lo que se suponía que debía hacer, y ya estaba comenzando a sentirme incómoda. La única cosa peor que ser enviada a una escuela con una niña tan rara llamada Eulalia Rododendro, es que esa niña de nombre Eulalia Rododendro se olvide de ti.

Entonces vi algo que nunca pensé que vería. Tomás, el "Sr. Buena Onda" estaba hundido en una especie de intensa discusión con nada más ni nada menos que la "Reina de los Raros", la chica nueva, Jesica Mixer. Cuando comenzaron a mirar hacia donde yo estaba, fingí estar muy interesada en las formaciones de las nubes. Desafortunadamente, el cielo estaba totalmente celeste esa mañana.

Eres un gorila de montaña, me dije a mí misma. *Eres una criatura noble y poderosa. No le prestes demasiada atención a los humanos, o estarás todavía más amenazada.*

Era demasiado tarde. Los humanos venían directo hacia mí.

—Debemos hablar contigo —dijo Tomás entre dientes y miró por encima de su hombro.

Jesica asintió. —Acá hay algo extraño. Tengo una sensación.

Los miré a los dos. Las dos personas con las que definitivamente no quería hablar en ese momento eran difíciles de evitar. —Creo que mi amiga por correspondencia llegará en cualquier momento —dije. Puse mi mano sobre los ojos, como si fuera una visera y miré hacia la calle.

—¿Podría esa amiga por correspondencia ser Eulalia Rododendro? —preguntó Tomás en voz baja.

¿Cómo podía saber eso? Mi boca abierta debe haberle dicho que tenía razón.

—Jesica y yo también recibimos cartas de ella —continuó Tomás—. Parece ser un poco…diferente. Y sus cartas son difíciles de ignorar, tú sabrás a lo que me refiero.

—¿Es por eso que estabas tan cansado en la clase de jiujitsu? —pregunté. Las piezas finalmente comenzaban a encajar. No era la única que había estado despierta toda la noche por culpa de una carta ruidosa. Después de un largo tiempo, mi mensaje de Eulalia se había convertido en un pedazo de papel simple y común. No estaba muy preparada para abrocharlo o atacarlo con una perforadora de tres hoyos, pero había decidido que era seguro doblarlo y colocarlo en mi escritorio.

Nuestra discusión tuvo una pausa cuando el Sr. García se acercó a nosotros como un torbellino. —Jesica, Sofía y Tomás, déjenme ver, déjenme ver… ahora creo que los tres van a ir a una escuela de Sunnyside. ¿Dónde están mis anotaciones…?

Antes de que pudiera terminar su búsqueda, un susurro y el sonido de dedos chocando contra algo salieron de los arbustos. Luego sucedió algo que casi no podrás creer, Ookie. En realidad, si no me conocieras, probablemente pensarías que lo estoy inventando. Pero realmente sucedió. Nada más lo voy a escribir como siempre, y puedes hacer lo que quieras con eso.

De esos arbustos, tosiendo y a borbotones en medio de la tormenta de polvo que parecían haber levantado ellos mismos, salieron las dos aves más grandes que jamás haya visto. Cuando digo grandes, quiero decir más grandes que el Sr. García. ¡Eran ENORMES!

Las aves batieron sus alas y se sacudieron el polvo. Luego una de ellas (la de plumas de un rosado brillante con alas de puntas negras) carraspeó. Se parecía sospechosamente a mi "alucinación" de ayer. La misma que había vuelto loco al caniche de la Sra. Jackson.

—Estee, hola —dijo con un acento sureño como el que usa la gente en la televisión—. Soy Scarlet. Uste'es tienen un hermoso hogar. Uste'es deben ser el Agente Tomás, la Agente Jesica y la Agente Sofía. Qué lindo Despilfarrador de Tiempo que tienes en tu camiseta —dijo haciendo una mueca a mi gorila de montaña en peligro de extinción.

¿Despilfarrador de Tiempo? Con seguridad el Sr. García se daría cuenta de que había algo sospechoso. ¿Cómo pudo enviarnos con un par de aves de tamaño descomunal que hablan disparates? Sin embargo, el Sr. García parecía no comprenderlo.

—¡Ja, ja! ¡Sí, de verdad! —le dijo a la criatura con plumas de siete pies de alto. Era como si le estuviéramos hablando a una amable señorita en la caja de un almacén—. Tres agentes aprendices de primera a tu servicio. ¿No es importante que las mascotas de la escuela los hayan venido a buscar, niños? ¡Qué buen truco! ¡Y tú estabas preocupada por no sentirte cómoda en tu nueva escuela, Sofía!

Admito que era bastante raro escuchar al pájaro rosado hablar como una persona común. Aun así, había algo en esas aves que me decía que no eran humanos disfrazados de pájaros. En primer lugar, sus patas eran muy delgadas. En segundo lugar, el otro pájaro (el retacón de cabeza blanca y máscara negra del Llanero Solitario) parecía tener una risa tan divertida como ningún humano podría tener. Saltaba de un lado a otro diciendo *cu-cu-cu-cu, ca-ca-ca-ca.*

La risilla constante parecía ponerle los pelos de punta a Scarlet. —Por favor, disculpen a mi colega Ruckus —dijo apartándolo con una de sus alas—. Parece que tiene indigestión. Bueno, mejor nos vamos. Adiós, Sr. García.

El Sr. García saludaba con su mano y sonreía mientras nosotros seguíamos a las aves. Se podría decir que estaba sinceramente emocionado por nosotros. No sospechaba nada. Jesica y Tomás se veían tan aterrorizados como yo me sentía.

—¡Oh, mi pequeño rabanito de color escarlata pasión! —dijo el pájaro risueño dirigiéndose a Scarlet y haciendo un obvio esfuerzo para parecer serio—. Estás brillante en el siglo XXI. ¡Perfecta! ¡Perfectamente antigua!

Scarlet echó su cabeza hacia atrás y miró a Ruckus.

—¿Pequeño rabanito? Esas palabras le pertenecen al escritor Clementine Paddleford, y tú lo sabes. Tal vez si hicieras tus propias declaraciones, te daría un momento del día, pájaro histérico. Definitivamente eres el fin viviente.

—¡Sólo les robo a los mejores! —gritó Ruckus, batiendo sus alas agitadamente—. He leído cientos de libros complicados, ¿sabes? ¡Miles! ¡Y podría leer más en cualquier momento! Soy un pájaro muy culto. *Mi frutilla… mi pasa roja…¡mi rosa es una rosa, es una rosa!* Espera, ¡eso tampoco es mío! ¡Cu-cu ca-ca! —Soltó una risa y movió de la cabeza de un lado al otro como si pudiera sacudir las palabras que le causaban problemas.

Jesica, Tomás y yo nos miramos. ¿De qué estaban hablando? Parecía que esas aves tenían algunos asuntos por resolver.

—Ruckus, cállate inmediatamente —ordenó Scarlet—. ¿No se le ocurre a ese cerebro de pájaro tuyo que estamos en medio de una misión extremadamente importante y secreta?

Me sentí un poco mal por Ruckus. Realmente parecía que le gustaba Scarlet. También parecía ser un pájaro muy divertido.

Habíamos llegado la estructura de barras del patio de juegos detrás de la escuela y Scarlet concentró toda su atención en nosotros. Mirábamos a nuestros chaperones con total desconfianza. Normalmente, hubiera corrido hacia el Sr. García a explicarle lo extraña que era la situación. Pero sabía que estaba cansado de que yo siempre quisiera saber exactamente cómo encajaban las cosas y qué sucedía después. Así que traté de seguir la corriente. Además me daba un poco de curiosidad saber de esos dos pájaros. Tal vez eran títeres controlados a distancia, hologramas o algún otro tipo de truco raro. Podía decir que Jesica y Tomás ahora también querían quedarse.

Scarlet desplegó sus alas (que medían casi la mitad del patio de la escuela) y nos reunió en su ala-cueva privada.

—Niños —dijo en un tono muy nervioso—, nada más tengo una vaga idea de cómo son sus vidas en su encantador siglo. En nuestra misión sólo tuvimos tiempo para la más breve de las vigilancias. No hay mucho tiempo para explicar ahora. Sólo les pido que mantengan sus ojos bien abiertos hoy y absorban todo lo que puedan. Hoy van a aprender cosas que necesitarán después. Ahora, Ruckus, —dijo abriendo sus alas y haciendo una mueca a su compañero—, ¿dónde está la goma de mascar?

Ruckus saltó entre nosotros. Con su pico, depositó exactamente diez barritas de goma de mascar en las manos de cada uno de nosotros. Parecía goma de mascar común, excepto que la etiqueta decía: "¡Bum! y Viaja". Esa es una marca de la que nunca había oído.

—Esta es una goma de mascar viajera —dijo Scarlet—. Sólo deben mascar esta goma al comenzar y al finalizar el día. No la pierdan ni mastiquen accidentalmente más goma de la debida. Esto es importante. Si lo hacen, son tan buenos como un gran ganso asado. —Si lo decía un ave, parecía bastante serio. Agarré con fuerza la goma de mascar.

—Ahora tomen un pedazo y comiencen a mascar, tal como lo harían con cualquier otra goma de mascar… Buen trabajo. Ahora comiencen a hacer el globo más grande que puedan…

5

Tengolandia

Jesica, Tomás y yo mascamos y mascamos. Hicimos globos más grandes que nuestras cabezas. Mientras hacíamos globos, nuestros cuerpos comenzaron a inflarse también. Pronto, nuestros cuerpos se pusieron tan redondos y livianos que nuestros pies dejaron de tocar el piso. Por si eso no fuera lo suficientemente extraño, comencé a girar como una patinadora artística cuyas formas se diluyen en una nube de falda y cola de caballo. Imagina a una niña con forma de globo volando y girando vertiginosamente, con los ojos a punto de salírsele de la cara. Esa era yo. No podía ver nada. Todo lo que podía hacer era ver pasar zumbando franjas de color como cometas.

De repente, mi globo produjo una alegre explosión y el mundo dejó de moverse. De alguna forma, aterricé sobre mis pies, y mi cuerpo recuperó su forma normal. Traté de mirar alrededor para ver dónde estábamos. Quería averiguar qué había sucedido, pero toda mi cabeza estaba cubierta de una goma pegajosa.

—¡Estilistas! —Scarlet gritó. Una nube de pequeños robots voladores atacaron nuestras cabezas con peines perfumados con mantequilla de maní y trabajaron sobre nuestros cabellos parados antes de llenarlos de espuma acondicionadora para quitar el olor a maní. Escuché el sonido metálico de las tijeras, y creo que los mini-estilistas me cortaron el pelo antes de arrasar mi cabeza con un montón de secadores de pelo en miniatura. Eso tardó apenas unos segundos. Después los robots se fueron volando para darles a otros viajeros de goma de mascar un cambio de imagen instantáneo, supongo.

Finalmente pude ver. Tomás y Jesica se veían como si hubieran salido de las páginas de una revista de modas, excepto que Jesica ya había empezado a taparse los ojos con el pelo. Se veían resplandecientes. Los pequeños robots tampoco eran malos cosiendo. Sus ropas parecían quedarles mejor que las que tenían antes en la escuela. Yo misma me sentía estupenda. Pero principalmente estaba desesperada por encontrar las respuestas a algunas preguntas.

—¿Dónde estamos? ¿Esos son sus robots? ¿Cómo funciona la goma de mascar? —pregunté.

Scarlet se inclinó. Acomodó un mechón de mi pelo detrás de la oreja con su largo y elegante pico. —Esas son excelentes preguntas, Agente Sofía. Te mereces algunas respuestas. 'Tan todos en el mismo lugar donde estaban hace un rato.

Estábamos en una pradera verde. Los pétalos rosados de enormes cerezos en flor flotaban en el aire. La Primaria Henry David Thoreau tiene algunos árboles, pero está principalmente rodeada de cemento.

—No parece conocido, lo sé —continuó Scarlet—, eso es porque estamos en una época diferente. Este lugar ahora se llama Tengolandia. El siglo XXI es historia antigua, como dicen ellos.

—Espera un momento —dijo Tomás con la voz llena

de emoción—. ¿Estás diciendo que hemos viajado en el tiempo? ¿Que estamos en el futuro?

—Exacto, Agente Tomás —respondió Scarlet—. Uste'es han viajado en una goma de mascar teletransportadora. Es de una tecnología anticuada, pero aún funciona. Los Despilfarradores del Tiempo resolvieron cómo agregar el elemento del tiempo a la receta original. Aquí en el futuro, como uste'es lo llaman, descubrirán que los robots pueden hacerse cargo de un montón de rutinas tediosas. Los estilorobots que vinieron recién son de uso público. La mayoría de la gente tiene uno en su casa. Las aves preferimos acicalarnos nosotras mismas. Los humanos, sin embargo, tienen gustos peculiares, como uste'es saben.

—Ahora estoy seguro que uste'es tienen montones de preguntas más para mí, pero necesitamos avanzar. Desafortunadamente, uste'es no pondrán un solo pie en la escuela esta semana. Si prestan atención, podrían aprender algo interesante. Ahora pónganse esas capas de camuflaje y salten sobre mi lomo. Ruckus nos guiará. ¿Ruckus?

Ruckus estaba planeando en el aire, fanfarroneando para Scarlet. —Ya sabes, Colorada —le dijo con el pecho inflado y las alas desplegadas—, una carbonera una vez me dijo que tengo un verdadero talento acrobático. Me sugirió que siguiera una carrera como artista de circo.

Scarlet alzó los ojos. —Apuesto a que ella sí lo hizo. ¿Podría sugerir que cuando estás en medio de una misión importante no es el mejor momento para hacerse el payaso? Ahora enderézate y vuela antes de que me conviertas en una completa cascarrabias, Ruckus. ¡Y no me llames Colorada! —Ruckus se deslizó hacia el suelo, murmurando las palabras de un poeta enamorado, creo.

Nos pusimos las brillantes capas rosadas que Scarlet nos dio. Después nos subimos a su sedoso lomo con plumas.

—Ahora sujétense fuerte, niños, y mantengan sus ojos bien abiertos —gritó por encima de su hombro—. Comenzamos a despegar.

Resulta que el viento en el lomo de una ave es fuerte. Era imposible hablar con el silbido del viento y el sonido del zarandeo de nuestras capas. El sol brillaba y estaba amarillo como la miel. Se veía absolutamente hermoso. Yo estaba ansiosa por saber lo que Tomás y Jesica estaba pensando, pero el paisaje que teníamos al mirar hacia abajo era totalmente absorbente. Al principio sólo vimos las colinas onduladas de una pradera verde brillante. Estaba salpicada de flores silvestres de todos los colores. La enorme grama de pasto se veía como una gran alfombra suave y lujosa. Las flores y los pastos olían muy bien. Tuve un fuerte impulso de rodar por ese pasto, de colina en colina.

Todo en el futuro era más grande de lo normal (enorme, pero bueno). No había mosquitos gigantes que subieran por nuestra nariz mientras volábamos, por ejemplo. Pero sí vimos peces del tamaño de tablas de surf que se asomaban a la superficie del agua como franjas luminosas. También vimos algunos koalas del tamaño de un refrigerador comiendo hojas de eucaliptos gigantes. Finalmente, Ruckus nos acercó más al suelo. Lo seguimos montados al lomo de Scarlet.

Tengolandia no se parecía en nada a Nueva York, ni a ningún otro lugar que yo haya visto. Los edificios de apartamentos se veían como árboles altos. Daba la sensación de que cada familia vivía en la vaina de una hoja. Nuestros guías nos llevaron para tener una vista más de cerca.

Un elevador de alta velocidad transportaba a la gente

hacia arriba y hacia abajo del tronco de una estructura arbórea. Vimos a una mujer subir a un elevador y presionar el número de su vaina. El elevador no sólo subía rapidísimo, sino que además se movía de lado a lado a gran velocidad. Finalmente, se abrieron las puertas y la mujer bajó en su vaina.

El techo de cada vaina estaba hecho de paneles solares, que probablemente producían energía para la casa. Miramos por la ventana del cuarto de un chico. Vimos a su robot personal haciendo la cama y ordenando sus juguetes. Mientras tanto, el niño jugaba videojuegos sentado en el piso.

Afuera, todo era exuberante y verde. No había cemento por ninguna parte. Hasta me pareció escuchar el sonido del océano cerca. Niños y adultos se teletransportaban por todas partes, y a nadie le parecía gran cosa. En vez de usar goma de mascar, ellos presionaban un botón de sus llaveros y llegaban al destino. Para las distancias cortas, los niños usaban monopatines voladores y patinetes que se suspendían algunos pies del suelo. No vi un solo camino, sólo flores, campos de fútbol y cines al aire libre. Era Utopía. O al menos eso creía yo.

Ruckus voló en picada hacia abajo hasta el valle. Lo seguimos de cerca. De repente, mi mente se enmarañó. Era como si un gran balón de cuerdas, todas anudadas y enredadas, hubiera reemplazado mi cerebro. Me agarré el cabello. Me dolía tanto la cabeza que quería gritar. Todo parecía oscurecerse. Después el olor más desagradable que jamás había sentido se apoderó de todo mi cuerpo. Me sentí muy descompuesta. Ni siquiera podía pensar en el dolor de cabeza. "Podrido" es la única palabra que podría describir el olor, Ookie. Era *horrible*. Era como si todo lo que hubiera descompuesto en el mundo se hubiera mezclado en un único olor a podredumbre.

No pude sostenerme más de Scarlet. Me iba a caer en ese gran bote de podredumbre. Lo sabía. Comencé a dejarme caer, pero justo en ese momento, ella salió disparada del valle. Mi mente se aclaró instantáneamente. Scarlet aterrizó en la cima de una colina con vista a un perfecto paisaje ondulado.

—¿Estás bien? —preguntó Jesica. Me observaba desde atrás de su cabello. Tomás también se veía preocupado.

—Ese olor —dije. Se veían muy mal y asintieron con la cabeza.

—Hay algo ahí abajo —murmuró Tomás—. Creo que sea lo que sea, a ti te golpeó más fuerte, Sofi.

En ese momento no me molestó que me llamara Sofi. Nada más me alegraba no estar sola en el futuro, que parecía ser más complicado de lo que había pensado al principio.

Nos bajamos del lomo de Scarlet. Era difícil no quedarse alucinado con la impresionante vista, aun cuando sabía que en el fondo se ocultaba un terrible olor.

—Lamento que hayan teni'o que ver algo tan desagradable —se disculpó Scarlet—. Como les dije antes, no hay mucho tiempo para ponerlos al tanto. Acaban de pasar por el Jardín Energético de Maléfico Salvaje. Lo que hay allí no son exactamente rosas y madreselvas. Maléfico es realmente terrible, y las cosas han salido muy mal. Uste'es han sido convocados a una misión para arreglar todo. Me da miedo pensar en que los tres tendrán que enfrentar a alguien tan malvado como Maléfico. Pero Griffon dice que son los indicados para hacerlo. Él sabrá mejor que yo.

Ese parecía un buen momento para intervenir. —No tengo ningún interés en conocer a ese Maléfico Salvaje, así que olvídenlo. No pienso volver ahí. Ese tal Griffon debe estar completamente loco. ¿No hay alguien acá en el futuro que quiera enfrentarse al mal? Igual, acá todos parecen superhéroes.

—Ese es el punto —interrumpió Tomás—. Y esteee… en realidad no somos agentes secretos. ¿Tal vez se equivocó de niños?

Jesica se mordía las uñas y miraba hacia el valle. Ahora se veía más resplandeciente y atractivo que cualquier otro lugar en Tengolandia.

—No, no, definitivamente ustedes tres son los que queremos. Se ha investigado mucho sobre esto. No puedo explicarlo todo ahora, pero ya verán cuando conozcan a Griffon —Scarlet miró el reloj que llevaba colgado al cuello—. Necesitamos apresurarnos ahora, o volverán tarde. No quiero que el Sr. García se preocupe. —La demora parecía ser algo por lo que uno no debía preocuparse cuando un tipo malvado llamado Maléfico Salvaje era tu nuevo archienemigo. Aun así, no dije nada. Estaba lista para regresar a mi hogar en el siglo XXI.

—El tiempo no pasará aquí mientras estén afuera —explicó Scarlet—. El siglo XXI ya pasó para nosotros. Pero igual van a poder volver a tiempo para cenar y dormir bien. Nos veremos de nuevo aquí en la cima de la colina, mañana a las 8.30 a.m. de su tiempo. La goma de mascar los traerá de vuelta a este mismo lugar.

Scarlet nos mostró rápidamente cómo aterrizar mirando hacia abajo en la misma dirección que el viento para que no nos quedáramos otra vez todos pegoteados. Después cada uno de nosotros se metió un poco de goma de mascar en la boca y nos teletransportamos por segunda vez en ese día. Fue la misma montaña rusa a la que habíamos subido antes, sólo que esta vez yo tenía más cosas en la cabeza.

A las 3 p.m. aterrizamos frente a la Primaria Henry David Thoreau y nos presentamos ante el Sr. García.

—Bueno, supongo que se acabó —dijo Tomás. Creo que nuestros cerebros estaban demasiado llenos como para hablar de algo todavía, especialmente en el patio de la escuela, donde cualquiera podría oírnos. Me sentí extraña al estar de vuelta en un lugar conocido después de todo lo que había pasado. Podría decir que Tomás quería olvidar nuestra pelea. Y yo también. Una parte de mí aún estaba molesta por lo que había sucedido en la clase de jiujitsu. Pero creo que los dos sabíamos que habíamos dicho cosas que no queríamos decir realmente.

—Tienes hojas en el cabello —le dije, tratando de sonar lo más normal posible.

—Tú también —comentó y me quitó una ramita del pelo que había traído de mi viaje por el tiempo.

Después todos nos reímos. ¡Pero era porque Jesica traía prácticamente un bosque en su cabeza! Debimos habernos visto muy graciosos mirándonos la cabeza entre nosotros como una manada de monos que se acicalaban. Aunque a ninguno de nosotros nos importó en ese momento.

Después de eso cada uno se fue por su lado. Tomás se fue a jugar basquetbol con sus amigos, Jesica se fue a su casa, y yo a tomar el metro. Mientras caminaba por la acera, miré por encima de mi hombro. Jesica y Tomás miraron hacia atrás al mismo tiempo. Nos sonreímos unos a otros y asentimos con la cabeza. Sabía que volveríamos al futuro mañana.

No hay manera de que me acerque a ese Maléfico o a su Jardín Energético, ya sabes. Sin embargo, necesito averiguar qué es lo que sucede. Saber que Jesica y Tomás estarán conmigo allí hace que no tenga tanto miedo.

No me había dado cuenta de que no habíamos visto ni oído de Eulalia Rododendro en todo el día hasta que subí al metro.

—*Sofía*

Producción Oriental

Martes, 16 de junio de 2009

Querido Ookie:

Esta mañana corrí a encontrarme con Tomás y Jesica cuando los vi frente a la escuela.

—¿Listos para viajar al futuro? —preguntó Tomás. Nos reímos nerviosas. Me emocionaba que nos hubieran elegido para esta misión, aun cuando todavía no sabíamos nada de ella. Tal vez Eulalia estuviera escondida en alguna torre alta, como Rapunzel. ¿Era nuestro trabajo sacarla de allí? Todo parecía ficticio, como si fuera una especie de cuento de hadas. Aun así, algo me decía que lo de ayer había sido completamente real. Tal vez era la sensación de las alas musculosas de Scarlet que se inflaban mientras volaba, o el hecho de que Tomás y Jesica habían estado allí conmigo. No nos habían llevado a un universo alternativo, nada más éramos tres niños neoyorquinos que habían salido en un interesante viaje de campo.

Caminamos detrás de la escuela, a un lugar donde no nos vieran, y clavamos nuestros dientes en las barras de ¡Bum! y Viaja. Antes de darnos cuenta, ya estábamos de vuelta en las brillantes laderas de Tengolandia.

—¡Bienvenidos otra vez, mis valientes amigos! —dijo una voz risueña—. *Cu-cú.*

—Hola, Ruckus —dijimos cuando pudimos verlo.

—Salten to'os. ¡No hay tiempo que perder! —anunció Scarlet. Nos pusimos nuestras capas rosadas, que habíamos dejado en el pasto, nos subimos al lomo de Scarlet y ya estábamos volando de nuevo.

Pronto nos elevamos por encima de los resplandecientes lagos azules y los ondulados campos verdes de Tengolandia. El aroma de las gigantes flores silvestres me hizo sentir bien, aun cuando sabía que el Jardín Energético estaba allí abajo también. Volábamos cada vez más alto. Parecía que, de un segundo a otro, el cielo había pasado de estar totalmente celeste y despejado a un gris plomizo de tormenta.

Cuando miré hacia atrás, pude ver Tengolandia. Se veía empapada de sol y perfecta. También parecía estar dentro de una enorme cúpula, y que todo lo demás afuera de ella fuera gris. Podía ver tortugas antiguas que se alineaban en lo que parecía una especie de centro de control fronterizo. Las tortugas estiraban sus pescuezos para tratar de sentir algunos rayos de sol que pudieran escaparse de la cúpula. No parecía que alguna de esas tortugas fueran a cruzar la frontera. Era muy difícil de ver. Tuve que darme vuelta.

Comencé a sentir una sensación de pánico. ¿Qué tanto conocía yo a Scarlet y a Ruckus? Tal me equivocaba en confiar en ellos. Tenía ganas de gritar. Quería preguntarles qué estaba sucediendo, pero justo en ese momento comenzamos a descender. Scarlet tocó el piso delicadamente. Todos nos deslizamos a tierra firme, y antes de que pudiera hacer una sola pregunta, nos envolvió una tormenta de polvo que apareció de la nada.

—¡Detente, Kitty, detente! —exclamó una entusiasmada voz. Sí, Ookie, esa tormenta de polvo era el gato anormalmente grande al que le había estado temiendo desde que comenzó nuestra aventura. Empezó a emitir un ronroneo que me resultaba conocido mientras una niña más o menos de mi edad con cabello largo y rizado se bajó de su lomo. Un muchachito con zapatos de lentejuelas y cabello deportivamente anaranjado la siguió. Ambos estaban vestidos con un traje protector de color gris y capas, como nosotros.

La chica corrió hacia nosotros. Se lanzó sobre nosotros, uno a uno, y nos dio a todos eufóricos abrazos y chillidos de alegría. —¡Oh, oh, oh! ¡Me pone tan feliz verlos! Bienvenidos a Producción Oriental. Este es mi hermano menor, Resplandor, y yo soy Eulalia Rododendro, por supuesto. No se parecen exactamente a lo que yo esperaba. —Por un segundo, vi rastros de desilusión en su rostro—. De todas formas, me resulta tonto pensar que la gente del pasado se pudiera ver exótica. Se ven perfectos, en realidad. No puedo esperar a sentarme y hablar con ustedes de todo. Siento como si ya los conociera de sólo leer sus cartas. Seremos inseparables, ¡lo sé! —Sus palabras salían de su boca tan rápido que era difícil seguirla. Esta niña sería blanco de burlas en la Henry David Thoreau. Sin embargo, era un alivio para mí conocer a alguien como ella en este sombrío lugar.

Resplandor estaba haciendo volteretas alrededor nuestro, y Kitty estaba levantando otra tormenta de polvo para imitarlo. Cuatro patas torpes hacen una voltereta cercana a lo imposible, créanme.

—Eulalia, querida —dijo Scarlet amablemente—, tal vez deberías moderarte un poquitín y poner al día a estos chicos sobre la situación. Ruckus y yo debemos retirarnos.

Volveremos antes del final del día. ¡Buena suerte! —Dijeron eso y se marcharon, Ruckus aullaba con risotadas fuertes y Scarlet murmuraba sobre por qué le tocaba estar con ese pajarraco tonto.

Fue Jesica quien habló primero. —¿Qué es este lugar?

Eulalia aplaudió y dio una vuelta. —Producción Oriental. No es mucho, pero es mi hogar. Resplandor y yo hemos vivido aquí toda la vida. —Ella podía mirar a Jesica directo a los ojos, por lo que, me pareció que la gente allí ya no era mucho más alta que nosotros. En Tengolandia, los niños no eran gigantes, pero eran definitivamente más altos de lo normal.

—¿Pero por qué está tan gris, aburrido y vacío? —Jesica insistió. No era común que ella hiciera preguntas como esas. Pero tenía razón. No había edificios ni gente por ninguna parte. Además de las tortugas, Kitty y los Rododendro, no había visto a otras criaturas en Producción Oriental.

—Es un poco insulso, lo sé —dijo Eulalia casi disculpándose—. A Maléfico Salvaje le gusta que las cosas brillen en Tengolandia. Y las cosas no pueden brillar así en todas partes, supongo. La gente aquí vive en casas subterráneas. Eso se debe a que el aire está demasiado contaminado para respirar. Y también porque la gente tiene que producir cosas todo el tiempo, hasta los niños. Sin embargo, no te preocupes. Scarlet se aseguró de darles capas protectoras. Abajo estarán seguros por un rato.

Miré mi brillante capa rosada. Ya se estaba poniendo gris con todo el polvo. —¿Acaso los niños no van a la escuela? —le pregunté.

—Oh, no. Por eso no tenemos libros aquí. Todos fueron destruidos hace mucho tiempo. Bueno, excepto por un libro de historia que encontré. Me contó cómo era el pasado. Sin embargo, creo que no era sobre el siglo correcto porque esperaba mucho más encaje y tal vez una espada para Tomás. También tenemos manuales como *Cómo armar un robot* y *Cómo montar una tabla* (la mayoría son instrucciones sobre cómo realizar distintos trabajos). Resplandor y yo deberíamos estar trabajando ahora, excepto que se supone que estamos muertos.

—¿Muertos? —preguntó Tomás. Eso no sonaba bien.

—Exactamente. Verás, nuestros padres eran botánicos.

—Debimos de haberla mirado extasiados. Sé que lo hice.

—Científicos que estudian las plantas —explicó—. Eran parte de la Resistencia Subterránea de Producción, RSP por sus siglas. Eran productores que se rebelaron contra Maléfico. Oficialmente, estaban ocupados inventando un rosal sin espinas para que la gente de Tengolandia no se pinchara los dedos y arruinaran sus vidas perfectas. Pero en realidad estaban trabajando contra Maléfico Salvaje. Desafortunadamente, murieron en un accidente botánico.

—Todos en Producción están identificados por un código de barras —continuó—. Tanto es así que sus movimientos pueden ser monitoreados en todo momento. Cuando Maléfico eliminó a mis padres del sistema, nos eliminó a Resplandor y a mí también. Pero como pueden ver, Resplandor y yo estamos vivos y bien. Ahora somos libres para andar por Producción como elijamos, *sin ser notados*.

Era una historia tan triste. Aparte del rápido parpadeo que hizo en la parte del accidente botánico, Eulalia la contó con lo que estaba empezando a ver como su alegría característica. Con seguridad no se parecía al tipo de persona que envía cartas irritantes a la gente a propósito.

—¿Eulalia? —le pregunté—. ¿Sabes que esas cartas de gato que nos enviaste son siempre muy...ruidosas?

Eulalia golpeó su mano contra la frente. —¡Kitty! ¡Ay, diablillo! ¡Te dije que te mantuvieras alejado de mi correspondencia! —Kitty se fue con un aire culpable detrás de Resplandor, lo cual era una escena bastante graciosa considerando que el gato era casi diez veces más grande que el niñito. Eulalia suspiró—. Como pueden ver, Kitty no conoce su propia fuerza. Es huérfano, como nosotros. Por lo general es un gato muy dulce. Su personalidad, sin embargo, no está muy controlada todavía. Algunas veces se la transfiere a los objetos. No *creerían* lo molesto que es cuando tus tenis comienzan a correr para atrapar sus propios cordones. Él debe haber jugado con sus cartas antes de que yo pudiera enviarlas.

—He estado hablando de este mundo aburrido todo el tiempo —continuó Eulalia—. ¡Debe de ser emocionante ir a la escuela y tener amigos! —Miró expectante a Jesica.

—Está bien para algunos, supongo —dijo Jesica.

Eulalia se moría de ganas de escuchar historias de nuestro siglo. Claramente, no tenía la menor idea de que estaba hablando con la persona más callada del quinto grado. —Cuéntame de tus padres, entonces.

Jesica miró el piso. —Los dos son astronautas. Están siempre en el espacio. Creo que les gustaría que fuera un planeta no descubierto en vez de una niña. Vivo en la Tierra con mi abuelo.

Pensé en mi mamá. Ella siempre se preocupaba porque tomara suficientes vitaminas y me vistiera con colores que combinaran con mi pelo. Tuve ganas de abrazar a Jesica y decirle que ella era mejor que cualquier planeta. Eso fue exactamente lo que hizo Eulalia.

—Jesica, eres el personaje histórico más maravilloso que conozco, además de Sofía y Tomás, por supuesto. ¡Estoy muy feliz de conocer a alguien tan misteriosa e interesante como tú! —Resplandor hizo varias piruetas en el aire para darle más importancia.

—¿Acaso este es el *programa de Oprah Winfrey* o algo por el estilo? —preguntó Tomás—. Tal vez después del corte comercial, descubramos que nos separaron a todos cuando nacimos. —Creo que él podía decir que Jesica estaba lista para cambiar de tema.

Eulalia saltó y abrazó a Tomás. —Tienes toda la razón —dijo—. Es que no siempre tengo con quién hablar, ¿ves? Creo que tengo la costumbre de irme por las ramas. Les mostraré el lugar. Producción Norte, Producción Sur y Producción Occidental son exactamente lo mismo que Producción Oriental, así que no tendremos que ir lejos para que se den una idea.

—¡Oh, querido gatito, llévanos! —dijo Resplandor en un tono presuntuoso y monárquico. Nos subimos sobre Kitty, que estaba jugando con Resplandor. El gato se veía como la bola de pelos más altanera que jamás había visto. Me costaba recordar por qué me había puesto nerviosa de conocer a este felino bobo.

Eulalia soltó una risita. —Mi madre solía decir que Resplandor estaba hecho para actuar en el cine. Cuando ella era pequeña aún había cines en Producción.

Todos cabalgamos sobre Kitty y nos imaginamos cómo sería un mundo sin cines. Pronto llegamos a lo que parecía un hoyo en el suelo.

—Aquí es —dijo Eulalia—. Ahora es importante que se queden quietos mientras avanzamos. La gente es

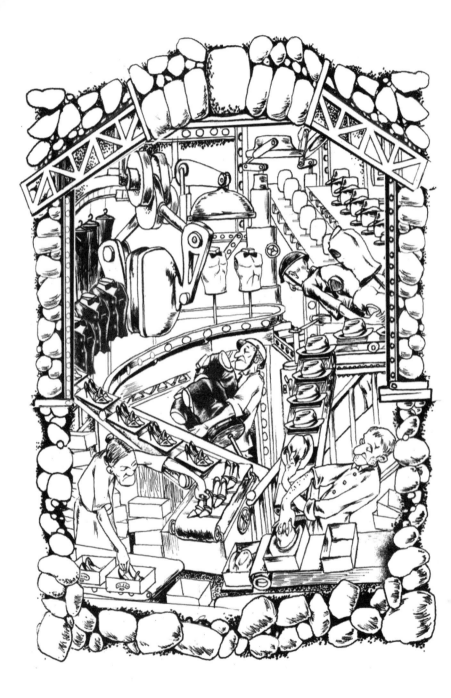

recompensada de acuerdo con lo que produce. No queremos distraer a nadie ni atrasar a los productores allí abajo. Podría costarles tiempo extra debajo de las lámparas solares.

Nada de eso tenía mucho sentido. Seguimos a Eulalia, que tomó la mano de Resplandor con fuerza mientras descendía por el hoyo. Kitty, que era más redondo que el túnel, se quedó cuidando la entrada.

El pasadizo estaba oscuro y frío. Mientras más bajábamos, más ruido había. La máquinas chillaban a una velocidad vertiginosa.

—Esta gente está fabricando zapatos que pueden convertir a quien los use en una reina de la salsa —susurró Eulalia al señalar una sala de trabajo. Los productores tenían la piel gris y los ojos de un gris vidrioso. Parecían casi personas gusano. Nadie en Producción tenía el aspecto de que fuera a bailar salsa pronto. Me sentí con náuseas, como cuando había mirado a las desesperadas tortugas tratando de cruzar la frontera de Tengolandia.

—Sé que parece desesperanzador, como si a la gente ya no le importara nada —dijo Eulalia mirando nuestras expresiones—, pero a algunos de ellos sí. Maléfico aún no ha ganado. Nunca lo hará (no si podemos evitarlo).

Caminamos por los pasillos durante horas y observamos todo el trabajo que se hacía para que Tengolandia se viera tan grandiosa. Los niños pequeños fabricaban juguetes con los que deberían estar jugando. Los mayores horneaban espumosos pasteles de limón y echaban cucharones de salsa de fresas sobre cheesecakes. Los postres después se colocaban en cajas que iban a una cinta transportadora y de allí eran enviados a Tengolandia. Un cartel que había arriba de los hornos rezaba: "Sin prueba de degustación".

Algunas personas que estaban descansando dormían debajo de lámparas solares. Esa era la única fuente de calor en esos fríos pasillos. ¿Por qué los productores soportaban esto? ¿Cómo podía la gente de Tengolandia disfrutar de sus zapatos de salsa cuando sabían de dónde venían? Estaba por preguntarle eso a Eulalia, cuando un fuerte maullido hizo temblar la tierra debajo de nuestros pies. Ni un solo productor quitó la vista de su trabajo, pero interpretamos que era una señal para marcharse.

—Ese es Kitty —dijo Eulalia para confirmar algo obvio—. Scarlet y Ruckus deben de estar allí.

Tenía razón. Así que no hubo tiempo para llegar al fondo de las cosas antes de volver a nuestro siglo, donde la cena incluía la receta secreta de macarrones con queso de mi madre y sandía de postre.

Ahora mi estómago lleno y mi cómoda cama me impiden dormir. Sólo puedo pensar en los productores, que ensamblan un mundo al que no pertenecen y están atrapados bajo tierra en un lugar frío.

—*Sofía*

P/D: Hoy hay algo realmente saludable y natural para ti, Ookie. *Botánica.* Es el estudio de las plantas.

La tarea de Griffon

Miércoles, 17 de junio de 2009

Querido Ookie:

Es difícil de creer, pero la teletransportación es prácticamente una rutina ahora. Esta mañana es posible que hayamos batido el récord de tiempo de viaje al mascar y hacer globos con la goma, como alguien que presiona un botón de avance rápido. Con nada más que tres días para cumplir con la misión, aún estamos bastante desorientados, y no pudimos llegar a Producción Oriental lo suficientemente rápido.

Esperaba que Eulalia nos diera la bienvenida con su normal euforia. Pero, en vez de eso, nos puso las capas y nos rodeó con sus brazos a Jesica y a mí. Luego comenzamos a caminar en dirección a un escarpado afloramiento.

—Y bueno, Scarlet y Ruckus dicen que es hora de visitar a Griffon —nos informó Eulalia retomando la conversación como si nunca nos hubiéramos marchado. Olvidaba que ella sólo escuchó una pequeña explosión cuando desaparecimos y otra más cuando reaparecimos un segundo después. Casi no esperaba que nos hubiera extrañado después de un tiempo equivalente al que lleva estornudar. Aun así, me alegraba verla.

Tomás se acercó volando y puso a Resplandor sobre sus hombros. Eso hizo que el niñito saltara de felicidad.

—¡Soy Ruckus! —gritaba, batía sus brazos y le tiraba besos a Scarlet, que estaba sobrevolando el área.

Ruckus, que aún volaba sobre nosotros, se agarraba el estómago con las alas. Lo vi girar con las patas hacia arriba cuando vio a Resplandor. —¡Cu-cu ca-ca! —Ruckus se reía tan fuerte que contagiaba. Pronto todos estábamos riéndonos a carcajadas de esta personita que fingía ser un ave tan escandalosa.

—¡Bueno, yo nunca! —exclamó Scarlet—. Pero noté que el trayecto de su vuelo se inestabilizaba cuando no podía contener la risa.

Después de un rato, todos recuperamos el control. El cielo se estaba oscureciendo. El único sonido era el hipo ocasional de Resplandor, cuya cabeza comenzaba a inclinarse sobre los hombros de Tomás.

—Ya casi es la hora de dormir de Resplandor —dijo Eulalia—. ¿Te parece bien que hagamos un paseo el resto del camino? —le preguntó a Kitty. El gran gato se agachó inmediatamente. Todos nos subimos al lomo de Kitty. El paisaje a nuestro alrededor se estaba poniendo silencioso y más difícil de atravesar a cada minuto. Mi reloj indicaba que eran las 11:32 a.m., tiempo del siglo XXI. Se escuchaba el sonido del aleteo de Scarlet y Ruckus más adelante. Los agudos ojos de Kitty seguían a las aves mientras navegaban hacia el área rocosa que era nuestro destino.

—¿Por qué este tal Griffon es tan importante? —preguntó Tomás suavemente. Tuvo cuidado de no despertar a Resplandor, que estaba acurrucado junto a Eulalia.

—Él es un híbrido, como Maléfico —explicó Eulalia—. Los híbridos son dos cosas al mismo tiempo: generalmente son mitad ave y mitad otra cosa. La mayoría puede volar, pero Maléfico no. Sin embargo, todos tienen una gran habilidad de entender a los demás. Algunas veces la usan para bien, como Griffon. Otras veces, la usan para hacer el mal, como Maléfico, —Eulalia tembló.

—Griffon era amigo de mis padres —continuó—. Ellos confiaban en él. Él apoyaba a la RSP, pero nunca quiso involucrarse en los problemas de los humanos. Supe que algo importante debía de haber sucedido cuando me pidió que les escribiera. El viaje en el tiempo sólo lo permiten en situaciones extremadamente alarmantes los miembros principales de la RSP.

De repente, todos nos quedamos en silencio otra vez y un sonido de tambores lejanos llenó la noche. Cruzamos las polvorientas tierras sobre el lomo de Kitty y finalmente nos acercamos a dos escarpados acantilados de roca gris. Kitty trotó por los espacios entre los dos acantilados, pisando cuidadosamente la superficie irregular. Ahora el tamborileo se escuchaba más alto (y también se oían llantos, silbidos, gruñidos y aullidos). Algún tipo de acuerdo silencioso nos mantuvo a todos apiñados en un mismo lugar, con Resplandor dormido en medio del grupo.

—Tal vez deberíamos retroceder —susurré, aunque casi no se escuchó ningún sonido. Esto era completamente distinto de la maraña mental y el olor que había experimentado en Tengolandia. Pero era tan aterrador como eso. Quizás un grupo de productores enojados se habían enfurecido y estaban esperando vengarse por todo el tiempo que habían pasado fabricando helados que no se derritieran. Tenía ganas de volver a mi cuarto, y escuchar los pasos de la Sra. Margaritis sobre mi cabeza. Allí estaba segura. Cerré con fuerza mis ojos y pensé, *hogar, hogar, hogar*.

Pero como esto era la vida real, y no un cuento de hadas, no me desperté en mi dormitorio. En cambio, abrí mis ojos y vi una fogata encendida. Todos nos sentamos parpadeando ante la luz, luego observamos el círculo sonoro que rodeaba la hoguera. Enormes loros negros (con crestas puntiagudas y rayas rojas en sus rostros, que se veían como pintura de guerra), golpeaban palitos contra los tambores y hacían todo tipo de ruidos. Los loros sacaban sus lenguas rojas cuando gritaban. Algunos estaban tan entusiasmados con los sonidos rítmicos que saltaban sobre sus instrumentos y tocaban los tambores con sus patas.

—¡Toquen, loros! —decía Ruckus. Comenzó a menear su emplumado cuerpo de un lado al otro y batía las alas al compás de la música. Scarlet observaba desde el costado con regocijo, y aplaudía con sus alas mientras Ruckus bailaba. Luego, sin ningún tipo de discusión visible, los loros tocaron los tambores con más fuerza. De repente, Scarlet y Ruckus se pusieron firmes.

Bajamos del lomo de Kitty, dejamos a Resplandor durmiendo y miramos hacia arriba. Una figura salió lentamente de entre las sombras en el acantilado rocoso que estaba sobre nosotros. Era difícil determinar qué era. ¿Un águila? ¿Un león? *Los híbridos son dos cosas al mismo tiempo*, había dicho Eulalia. Fue entonces cuando me di cuenta de que estaba frente a una criatura única que era mitad ave y mitad mamífero. Griffon tenía el pico encorvado y la cabeza señorial de un águila, pero el cuerpo musculoso y la cola ondulante de un león. Era fantástico.

—Bienvenidos, agentes —dijo la criatura. Su voz era tranquila y profunda, como la noche que nos rodeaba. Pasaban minutos que parecían horas mientras Griffon nos observaba a cada uno de nosotros. ¿Acaso pensaba que los niños que había elegido no eran adecuados? ¿Acaso lo desalentaba pensar que sólo éramos niños de quinto grado con sucias capas rosadas y cabello polvoriento? Parecía que leía mi mente. No me gustó la sensación. De repente, escuché que Jesica dejó escapar un suspiro.

—¿Qué sucede? —pregunté, lista para reunirnos junto a Kitty y salir de ese tenebroso lugar.

Jesica me puso la mano en el hombro. Se volvió a Griffon. —No tengo miedo —dijo, y pareció crecer varias pulgadas mientras hablaba.

—Bien —dijo la bestia híbrida. Se volvió hacia mí y Tomás—. Quería saber quién de ustedes se podía comunicar sin palabras. Pocos humanos son capaces de hacer eso hoy día, y es extremadamente raro que un humano del siglo XXI tenga ese don. Tuve la sensación, sin embargo, de que la Agente Jesica lo manejaría. Sabes de nuestro mundo desde hace tiempo, ¿no? —le preguntó.

—Algo así…bueno, no exactamente —admitió Jesica—. Sólo veo paisajes de Producción en mi mente. Sabía que era un lugar importante.

Bueno, eso resolvía el misterio de la razón por la que Jesica se había estado escapando de la clase de gimnasia para pintar. ¿Pero cómo se había enterado?

—Es el segundo ojo —dijo Griffon—. Es raro encontrar a otro ser con esta habilidad. En un honor, Agente Jesica. —Parecía como si Jesica se estuviera reencontrando con algún familiar que no veía desde hace tiempo. Me preguntaba si Tomás haría otro comentario sobre *Oprah*. Pero no dijo nada. Creo que todos estábamos asombrados de ver cómo la extraña forma de ser de Jesica tenía sentido en el futuro.

—Ustedes dos también son de vital importancia para la misión —dijo Griffon y volvió su impasible mirada a Tomás y a mí—. Su conocimiento de la filosofía del jiujitsu será muy útil. Los Despilfarradores de Tiempo te pidieron específicamente a ti, Agente Sofía. Te querían por tu enfoque práctico para los problemas y tu habilidad para hacer preguntas importantes.

—¿Había gente que pensaba que yo sabía lo que estaba haciendo? De repente tuve curiosidad de conocer a esos Despilfarradores de Tiempo.

—Ahora —continuó—, es hora de que vean lo que le estaba explicando a Jesica telepáticamente. Encenderé mi televisor mental. —Presionó un botón de un mando a distancia. Bajó una pantalla que cubrió la cara rocosa que había debajo de él. La voz de Griffon narraba la escena que se desarrollaba, aunque su pico permanecía cerrado. No me preguntes cómo, pero estábamos viendo el contenido de su cerebro.

Habrán notado que las plantas y los animales aquí son más grandes de lo que son en su siglo. Se vieron campos de maíz y patatas gigantes en la pantalla. *Las sustancias químicas en la tierra han hecho que los seres vivientes crezcan mucho más con el paso del tiempo. Los productores, que están expuestos a tan pocos nutrientes, se mantienen pequeños. Los habitantes de Tengolandia respiran un aire puro y limpio. Han logrado eso eliminando la producción de bienes de su territorio. Todas las cosas se fabrican en Producción. Después se envían por túneles a las tiendas de*

Tengolandia. El ritmo de crecimiento de los habitantes de Tengolandia ahora se ha estabilizado.

Tal vez también hayan notado durante su viaje por Tengolandia que la gente flota sobre el suelo, pero no vuela alto. Esto es importante. Si los habitantes de Tengolandia pudieran volar algunos pies, podrían descubrir que el cielo no es el límite, sino la cúpula transparente que hay sobre sus cabezas. Nosotros, los pájaros, y algunos híbridos como yo, somos relativamente libres porque tenemos el don del vuelo. Nuestra perspectiva de altura significa que podemos ver lo que sucede de una manera que los humanos no son capaces. Vimos cómo se veía el mundo desde la perspectiva de Griffon. El contraste entre Tengolandia y Producción me hizo sentir extraña.

¿De qué está hecha la cúpula de Tengolandia? Un material común: el miedo. Maléfico Salvaje reconoció el miedo dentro de las personas. Lo reúne en su Jardín Energético. Una sola flor cadáver proyecta el miedo sobre Tengolandia. Separa a esta sociedad del resto del mundo. Mientras que nosotros en Producción podemos ver a Tengolandia perfectamente, los habitantes de Tengolandia no pueden ver a Producción por la cúpula de miedo. Vimos una familia feliz haciendo un picnic en una hermosa colina. Luego todo se inmovilizó y después ya no vimos nada. Ahora que lo pensaba, no había notado la existencia de Producción mientras estuvimos en Tengolandia. Aun así no tenía sentido.

—Un momento —dije, y rompí el silencio—. ¿Por qué la gente de Tengolandia no reacciona? ¿Acaso creen que unos duendes pequeños vienen por la noche a hacer sus zapatos? Todo tiene un origen.

Griffon suspiró. —Agente Sofía, los humanos son criaturas complicadas. El miedo es un arma poderosa. Eso es todo lo que puedo decir. Tal vez ahora se den cuenta de la razón por la que están aquí.

Creí entender todo a la perfección. —Pero, ¿por qué nosotros? —le pregunté—. ¿Por qué no pueden los productores enfrentar a Maléfico y arreglar su propio mundo?

—Porque este es tu mundo también —explicó Griffon—. Además porque los productores serían detectados apenas comiencen una rebelión. Todos aquí tenemos un código de barras, hasta las aves y yo mismo—. Griffon levantó su ala derecha para mostrar una etiqueta blanca con decenas de barras negras—. Tenemos la libertad de volar, pero nuestros movimientos son grabados. Y como Eulalia y Resplandor son de Producción Oriental, podrían ser reconocidos cuando entren a Tengolandia.

Una sensación húmeda se apoderó de mí. Me sentí en medio de un océano poderoso que no podía controlar. Tenía deseos de cerrar mis ojos, respirar y esperar a que todo estuviera terminado. ¿Cómo nos metimos en este lío? Hemos estado viajando y aprendiendo sobre el futuro durante días. Pero de alguna manera, nunca había creído realmente que podríamos encontrar una solución.

Tomás se dio vuelta para mirarme. —Creo que podemos hacerlo —dijo tomando mi muñeca—. Sé que suena loco, pero si Griffon cree que podemos hacerlo, tal vez tenga razón.

Miré a Jesica. —Puedes pensarlo bien Sofía —me indicó—. Tal vez con el enfoque tranquilo de Tomás y mi segundo ojo, sea suficiente para ayudar a Eulalia y a Resplandor.

¿Acaso todos se habían vuelto locos? ¿Qué podía decir, Ookie, con el rostro pálido de Eulalia lleno de esperanza a la luz de la hoguera? No hay alternativa. Vamos a salvar al planeta de Maléfico Salvaje y su Jardín Energético, aun cuando una gigantesca flor cadáver nos devore en el intento.

—*Sofía*

P/D: La comida de esta noche es *siniestra*. Tengo un sentimiento siniestro sobre el futuro, especialmente el mío. En otras palabras, tengo la idea de que algo malo va a suceder. Espero que la palabra no te duela tanto como a mí.

Despilfarro de Tiempo

Jueves, 18 de junio de 2009

Querido Ookie:

Cuando hoy entramos en Producción Oriental, escuchamos a Eulalia gritar: —¡Agáchense! —No era exactamente lo primero que uno quisiera escuchar en la mañana.

Espié a través del remolinante polvo y vi lo que parecía una convención de fantasmas. Formas blancas e ingrávidas pasaban con rapidez por todas partes. Estaban practicando algún tipo de danza fantasmal. Los fantasmas estaban casi de segundos en mi lista de "Cosas a evitar a toda costa" (después del Jardín Energético). Pero después me di cuenta de que esos fantasmas tenían manijas. No eran fantasmas. Eran bolsas plásticas.

—¡Detrás de la roca! —gritó Scarlet—. ¡Rápido, debajo de mis alas! —Nos protegió lo mejor que pudo. Pero el sonido violento del viento estaba apenas a unas pulgadas de distancia.

—¿Podría explicarme alguien qué está sucediendo? —dijo Tomás después del estruendo.

—Tormenta de bolsas —gritó Eulalia—. Normalmente

se dan al amanecer cuando los vientos soplan. Puede ser peligroso si te quedas atrapado en una. Puedes quedar embolsado o asfixiado por el plástico.

—¿Pero de dónde vienen todas esas bolsas? —le pregunté—. Parece haber millones.

—Uf, en realidad son miles de millones —explicó Eulalia—. Vienen del pasado. Escuché que antes la gente las usaba todo el tiempo. Llevaban mercadería y cosas como esas en bolsas. Con el tiempo, las bolsas se acumularon. Después empezamos a tener estas tormentas.

El futuro comenzaba a verse como un tremendo lío.

Ahora la tormenta se había calmado. Scarlet abrió sus alas. Había plástico lleno de polvo por todas partes. Algunas bolsas se habían despedazado en tiras. La mayoría había sobrevivido a la tormenta con sus dos manijas y sus blancos estómagos ondulantes y enteros.

Robots y productores comenzaron a llegar para limpiar el desastre con máquinas aspirabolsas que retiraban las bolsas que estaban debajo del suelo. Pensé en lo que Griffon me había dicho sobre el futuro: también era nuestro mundo. Entonces entendí lo que quiso decir. Aunque ya no existían ninguna de las tiendas del siglo XXI, había bolsas con sus logotipos publicitarios por todas partes.

Cabalgamos a Kitty a través de la escena del desastre. No creo que alguno de nosotros se haya sentido bien al dejar ese desorden ahí. Pero no había mucho tiempo. Eulalia nos estaba llevando a Despilfarro de Tiempo S.A. Nos íbamos a encontrar con los Despilfarradores de Tiempo para planear cómo cerrar el Jardín Energético. Griffon había sido muy claro al explicarnos cuál era nuestra misión. Pero no nos había dicho nada sobre cómo lograrlo.

Aparentemente los Despilfarradores de Tiempo eran con quienes debíamos hablar.

En el camino pasamos por Tengolandia. Pudimos ver a unos niños chapoteando en un lago con su perro, totalmente despreocupados. Aquí en Producción Oriental, el pequeño Resplandor estaba vestido con su ropa protectora gris y su capa de siempre. Sus preciados zapatos de lentejuelas eran el único indicio de que era un individuo único.

—¡Si crees que vas a distraerme justo cuando esta misión se pone seria, estás totalmente loco! —oí a Scarlet regañarlo desde el aire.

—¡Ay! eres hermosa cuando te enojas, Colorada, —suspiró Ruckus con alegría. Desde que Scarlet había aplaudido a Ruckus mientras bailaba en la hoguera, él estaba convencido de que ella se había enamorado de él. Me preguntaba si podría ser verdad. Pero Scarlet no era del tipo que se vuelve loca por cualquier pájaro cuando hay cosas por hacer.

—Está bien, niños —dijo. La gran ave hizo unas muecas con su pico hacia un elevador solitario en medio del desierto polvoriento—. Llegamos. Tomen ese elevador y bajen hasta el próximo nivel. Y recuerden ser amables. Los Despilfarradores de Tiempo pueden ser un poco susceptibles, y ustedes necesitan su ayuda. Nos veremo' esta tarde. ¡Adiós!

El elevador se veía pequeño, pero parecía agrandarse mágicamente para que todos entraran. Seguimos subiendo al elevador. Hasta Kitty cupo cómodamente una vez que las puertas se cerraron. Presioné el botón "PNMB", de próximo nivel más bajo. El elevador bajó por la suciedad. Cuando las puertas se abrieron nos recibió una variedad de sonidos extraños, como chillidos, zumbidos y timbres, entre otros. Luego, un científico muy enojado y muy peludo nos encontró en la puerta.

—¡Alerta roja! ¡Niños! ¡Por Dios! ¡Y también un gato! —gritó el científico—. ¡No puede ser! No, no, seguramente ha sido un error. ¡Vándalos, bribones, embaucadores, zascandiles! ¡Fuera! ¡Fuera! ¡Seguridad!

Estaba lista para correr, aun cuando estos tipos me hubieran pedido a mí especialmente. Jesica se hubiera alegrado si la tierra se la tragaba entera. Tomás fue el más valiente de todos nosotros. Se adelantó y le dio la mano a la cosa peluda. —Aquí, Agente Tomás. Estamos en una misión secreta para derrotar a Maléfico Salvaje y su Jardín Energético. Estamos con Griffon, y con la RSP, por supuesto. Esperamos que puedan ayudarnos.

—¡Oh, perdón! ¡Estoy tan avergonzado! ¡Sí, sí, entren! —dijo el científico peludo—. Los estaba esperando. —El Despilfarrador de Tiempo miró a Kitty con sospecha, pero nos dejó pasar y llamó a los robots de seguridad. Parecía que Eulalia se iba a desmayar cuando Tomás le dio la mano al científico. ¡Oh, hermano!

Era difícil determinar si la criatura era humana o no. No era lo que uno hubiera deseado preguntar, especialmente porque nos pareció un poco sensible. El científico estaba cubierto de un cabello color cobre de los pies a la cabeza. Llevaba puesta una bata de laboratorio que le llegaba arriba de las rodillas. El Despilfarrador de Tiempo no era mucho más alto que Resplandor.

—Agente Jesica, ¿no? —Nuestro Despilfarrador de Tiempo miró el cabello de Jesica y sacudió la cabeza—. Hemos aprendido por las malas que el pelo al viento y la tecnología no son compatibles. Antes de seguir con el taller, tendré que preguntarles si quieren cortarse el pelo a mi estilo o ponerse este accesorio para el cabello. —Sacó una bandita elástica de uno de los bolsillos de su bata.

Jesica se arregló el pelo en una cola de caballo. Era la primera vez que le veía la cara. Sus ojos eran verdes y tenía pecas por toda la nariz. Era bella. Me preguntaba por qué siempre se escondía detrás de su cabello.

El Despilfarrador de Tiempo no perdió un minuto en la nueva apariencia de Jesica. Finalmente abrió las puertas del taller. Había cientos de Despilfarradores de Tiempo con gafas de seguridad sentados en sus bancos de trabajo. Vertían líquidos en vasos, conectaban cables eléctricos y realizaban ocasionales explosiones. —¡Tiempo de organizarse! ¡Sin perder el tiempo! ¡A la sala de conferencias! —anunció nuestro guía.

En sólo segundos, todos los Despilfarradores de Tiempo estaban prolijamente sentados en un enorme auditorio y nosotros en el centro del mismo. Si hubiéramos tenido un momento para pensar, probablemente nos hubiéramos visto un poco asustados. Pero los Despilfarradores de Tiempo son eficientes. Despilfarrador Supremo (como resultó llamarse el presidente de Despilfarro de Tiempo S.A.) estaba parado frente a una pizarra blanca con un marcador rojo en la mano y una expresión sin sentido en el rostro. Estaba listo para empezar el trabajo.

Sin embargo, algo me estaba molestando. Levanté la mano para hacer una pregunta. —Si vives en Producción Oriental, ¿trabajas para Maléfico Salvaje? Todos menos las aves parecen trabajar para él.

Despilfarrador Supremo sonrió radiante. —¡Tú debes

ser la Agente Sofía! Los hemos estado observando. Tienes una forma tan lógica de organizar la información. ¡Es tan reconfortante ver rastros de Despilfarradores de Tiempo en un humano joven!

No estaba muy segura de tomar eso como un cumplido.

—Por supuesto que tendríamos que trabajar para Maléfico si no fuéramos lo suficientemente listos para inventar un taller que ni la más malvada de todas las bestias pudiera detectar. Algunas personas piensan que nuestro trabajo es insignificante, innecesario, menos esencial. Pero Griffon piensa de manera diferente. Sabe que la RSP está perdida sin nosotros —dijo Despilfarrador Supremo—. A propósito —dijo mientras se inclinaba—, ¿qué les ha parecido el viaje en el tiempo? —De repente, cientos de Despilfarradores de Tiempo se acercaron con un interés aterrador.

Pareció dirigir su pregunta a Jesica. —¿Algo… giratorio? —se arriesgó.

—De una manera muy buena —intervine tratando de no ofender a los Despilfarradores de Tiempo. Era obvio que ellos había inventado la tecnología para viajar en el tiempo.

—Es verdaderamente fabuloso —continuó Tomás—. Tal vez no sea lo mejor para los ancianos o los niños muy pequeños. Sin embargo, realmente lo disfrutamos.

Por un minuto, lo único que escuchamos fue el siseo de las lapiceras sobre los cuadernos donde los Despilfarradores de Tiempo anotaban lo que decíamos.

—Comencemos —dijo Despilfarrador Supremo, y se volvió a la pizarra. Escribió esto:

Problema: Control del miedo humano por Maléfico Salvaje.

Solución: Destruir el poder de Maléfico (completar con detalles más adelante).

Desafío: No sabemos qué tipo de seguridad puede haber en el Jardín Energético, donde se almacena el miedo.

—Ahora podemos ayudarles con el lado tecnológico de las cosas —dijo Despilfarrador Supremo al volverse a nosotros—. Imagino que necesitarán algunas botas antigravedad, plumeros, paracaídas invisibles y algo de aceite de robot de alto grado, para principiantes. De paso, ¿cómo tratarán exactamente de quitarle el poder a Maléfico?

Éramos un grupo de niños de un siglo completamente diferente. ¿Acaso se suponía que debíamos planear cómo hacer eso? Las palmas de mis manos comenzaron a transpirar. Mi mente era como un papel en blanco.

—Mmm, no es que yo sepa mucho o nada —dijo Eulalia con un inusual temblor en su voz. Miraba el concurrido auditorio—. Pero mis padres eran botánicos. Ellos solían hablar sobre cómo algunas plantas podían tomar el poder algunas veces, si eran las más fuertes. Griffon explicó que la flor cadáver proyecta el miedo que le da energía a la cúpula que está sobre Tengolandia. Así que si encontramos una planta que sea más fuerte que eso, podríamos ser capaces de detener a Maléfico.

—Muy interesante —dijo Despilfarrador Supremo chocando sus dedos entre sí de una manera pensativa. Después presionó un botón y una computadora salió de la pared que estaba a su lado. Escribió rápidamente. Pronto la respuesta comenzó a titilar en la pantalla. *PLANTA DE JADE: Conocida como el árbol de la amistad. La planta asustará a los pimpollos de la flor cadáver.*

—Aquí la tenemos —dijo Despilfarrador Supremo—. Buen trabajo, Eulalia. ¿Pero cómo van a poner una semilla de jade en el Jardín Energético?

De repente se me ocurrió algo. —En el futuro (o sea, ahora) las aves y todos los tipos de criaturas pueden hablar, ¿no es verdad? —los Despilfarradores de Tiempo me miraron como si esperaran que llegara a una conclusión—. Así que tal vez si los insectos también pueden hablar, podríamos convencer a uno que le guste la flor cadáver de que plante una semilla de jade en el jardín. Tal vez Maléfico no note la presencia de un bicho común en su jardín.

—¡Brillante! —gritaron varios Despilfarradores al mismo tiempo.

—Estoy de acuerdo —dijo Tomás—. Es como en jiujitsu. Maléfico tiene toda la energía concentrada en un solo jardín para poder vigilarlo. Lo único que tenemos que hacer el invertir eso para ya no le dé resultado.

—¡Todos los sistemas en marcha! —gritó Despilfarrador Supremo—. ¡No hay tiempo que perder! ¡A sus puestos! ¡Es hora de prepararse para el Proyecto Jade!

Después de la cena (ya de vuelta en el siglo XXI) me llevé el teléfono a mi habitación. Me senté un momento en el piso y traté de pensar en lo que diría. Después respiré profundamente y marqué el número rápidamente. Él contestó al segundo timbre.

—¿Hola? —dijo una voz conocida.

—Baba —dije. Así le digo a mi papá—. ¿Cómo están los psílidos? —Él ha pasado los últimos seis meses en la Islas

Canarias investigando estos insectos latosos.

—Los psílidos son muy interesantes, aunque a menudo son una molestia —dijo. Creí escuchar un ruido de fondo como si alguien rascara—. Me alegra saber de ti So-So. —Así me dice mi papá algunas veces. Me hace sentir como si fuera una niñita, pero no me importa—. ¿Cómo van tus estudios? ¿Has agregado algún nuevo organismo a tu lista últimamente?

Pensé en qué categoría pondría a Griffon y a los Despilfarradores de Tiempo. Después supuse que debía ir al grano antes de que mi padre hiciera preguntas que no podía responder por teléfono. Le mencioné a una garza nocturna coroninegra que había visto hace un tiempo al borde del lago del parque. Después se lo dije.

—Lamento llamar tan tarde, Baba —dije. Era casi la medianoche en la Islas Canarias—. Necesito saber algo para la escuela. Pensé que tal vez podrías ayudarme.

—¡Sí, excelente! —dijo Baba—. ¡Dilo! —Estaba muy emocionado por ayudarme con mi tarea. De repente, me sentí mal por no haberlo llamado en tanto tiempo.

—Bueno, este proyecto tiene que ver con una flor cadáver. Necesito saber a qué insecto le atrae —expliqué.

—¡Ah, sip! Qué apestosa es la flor cadáver. Sin embargo tiene pimpollos espectaculares. Me alegra que los estudios sobre insectos finalmente hayan encontrado su lugar en las aulas. Tu maestro debe de ser un hombre muy sabio. Sin dudas, la flor cadáver espantará a unos cuantos insectos. Pero siempre puedes contar con la mosca de la carne. A esos bichos les encanta el mal olor. Ese es tu insecto, la mosca de la carne.

Después mi papá cambió de tema. —¿Sabes algo, So-So? —continuó—, sería grandioso que vinieras aquí este verano. Aquí todo es tan radiante y amarillo (los canarios, las bananas, hasta el arroz). Podrías agregar todo tipo de lagartos a tu lista de reptiles. Tu madre piensa que sería un buen descanso antes de que comiences la escuela intermedia.

Pensé que los padres divorciados no se hablaban entre sí. Los míos parecían hablar de mí todo el tiempo. Ese no era realmente un buen momento para una charla íntima, pero mi papá parecía opinar de manera diferente.

—Tu madre también me contó que no has visto a Tomás últimamente —hizo una pausa. ¿Tal vez esperaba que le contara todo? No es probable—. Él es un buen chico —insistió Baba—, pero me recuerda a mí cuando tenía su edad. Quería ser duro y demostrarles a los chicos de la escuela que no era sólo un niño obsesionado con los insectos. Pero esa etapa pasó. Después decidí que estaba bien ser exactamente quien era yo (un chico loco por las arañas tropicales).

Necesitaba quitar a este hombre del teléfono antes de que empezara a recordar cuando me bañaba en el fregadero de la cocina. —Está bien, Baba, entiendo. Tomás y yo nos estamos llevando bien. Estamos trabajando en un proyecto juntos. Voy a pensar en lo del verano y te llamaré pronto, ¿si? Muchas gracias por la información sobre la mosca de la carne.

Después me dijo lo que siempre decía cuando me arropaba en la noche: —Buenas noches, que duermas bien y no dejes que los bichos te piquen.

Cuando colgó, sentí una presión en mi pecho. Extrañaba a mi papá, aun cuando decía cosas vergonzosas y hablaba de insectos todo el tiempo. Después escuché un segundo clic. Serían los Despilfarradores de Tiempo. Habían intervenido el teléfono para saber a qué insecto buscaban. Probablemente me tenían hablando por el altavoz y estaban todos sentados en el auditorio escuchando toda la conversación. Adentro de Despilfarro de Tiempo S.A., ellos pueden hacer que el tiempo avance tan lento como un caracol. Eso hicieron para tener suficientes horas y así rastrear a nuestra mosca de la carne antes de que nosotros llegáramos en la mañana.

Mañana será un largo día Ookie. Mejor me voy a dormir. Y no te preocupes, no me he olvidado de tu palabra nueva. Prueba *antídoto*. Significa "algo que quita los malos efectos de una cosa". Esperemos que la planta de jade sea realmente el antídoto a la flor cadáver, que huele tan mal.

—*Sofía*

Hagan lugar para Gusano

Viernes, 19 de junio de 2009

Querido Ookie:

Tengo que admitir que cuando miré a Gusano por primera vez esta mañana, tuve algunas dudas acerca de lo confiable que podía ser.

—¡Hola!, agentes secretos de todos los tiempos —dijo la mosca de la carne cuando aparecimos de nuevo en Despilfarro de Tiempo S.A. Para ser alguien tan pequeño, despedía un olor bastante fuerte. Apestaba como un par de medias que no se habían lavado en años. Estaba acostado en lo que parecía una silla playera en miniatura que estaba sobre una mesa en la sala de entrada. También llevaba puestas unas gafas de sol y bebía un trago burbujeante de aspecto asqueroso con una pajita.

—Encantada de conocerte —dije. *Encantada* era un poco exagerado, teniendo en cuenta que apenas podía respirar al lado de este insecto—. Oí que eres el insecto que va a ayudarnos a derrotar a Maléfico.

—Ese tipo sí que tiene mala onda, hombre. Espera ¿mi vaso esta vacío? —Su rostro se veía realmente preocupado—.

Uy, sí, creo que está vacío, amigo.

Un Despilfarrador de Tiempo con delantal vino refunfuñando con un recipiente lleno de la sustancia viscosa que Gusano estaba tomando. —Canalla, granuja, villano apestoso —murmuró el peludo inventor mientras vertía un poco de la porquería pegajosa en el vaso de Gusano—. Deben saber que a este granuja tuvimos que sobornarlo con un suministro de por vida de los tipos de néctar más apestosos del planeta para participar del Proyecto Jade —nos dijo, furioso.

—Ey, hombre, tranquilo —dijo Gusano—. Necesitas tranquilizarte. No tienes que ponerte así por un poco de néctar, hombre. —El Despilfarrador de Tiempo se veía como si fuera a explotar uno de sus experimentos. Entonces se dirigió en dirección al taller mientras Eulalia apareció por la esquina. Resplandor y Kitty la seguían de cerca.

—¡Ah, aquí estás! —suspiró y contuvo su respiración—. Sé que no tienen mucho tiempo, pero quería despedirme antes de que se fueran. —La idea de dejar a Eulalia y a Resplandor en Producción Oriental era lo único peor que la posibilidad de conocer a Maléfico Salvaje.

—¡Ey! —dijo Tomás—. No nos pongamos tristes por despedirnos. Ahora sabemos cómo viajar en el tiempo, ¿o no? Tal vez nos veamos pronto. Mientras tanto, hemos decidido traerles a Resplandor y a ti algunos recuerdos de nuestro siglo.

Le mostramos a Eulalia los libros favoritos que habíamos llevado. Para Resplandor, traje un libro con ilustraciones sobre un perro al que le gusta usar sombreros raros, y para Eulalia elegí un libro sobre un par de niños que viven en un museo. Resplandor comenzó a leer su nuevo libro de

inmediato. Parecía que Eulalia, en cambio, estaba a punto de romper en llanto.

—Ya, ya —dijo Scarlet al entrar volando al cuarto y abrazar a Eulalia con su ala—. Has hecho unos amigos maravillosos. Estoy segura de que Griffon les permitirá seguir escribiéndose de siglo a siglo. Pueden mantenerse en contacto. ¿Quién sabe? Hasta puedan verse pronto otra vez.

Inmediatamente después, Ruckus y cientos de Despilfarradores de Tiempo llenaron el cuarto. Sabía que ya era casi hora de partir, pero había algo que me había estado preocupando. No estaba exactamente segura de quién podía tener la respuesta a lo que iba a preguntar.

—Me preguntaba —comencé—, qué sucederá una vez que desaparezca la cúpula. Suponiendo que podamos derrocar a Maléfico y todo lo demás. ¿Tengolandia desaparecerá por completo? ¿Se volverá tan oscuro y sombrío como Producción?

El silencio se apoderó de la sala. Me preguntaba si mi pregunta había sido inadecuada. Luego, con voz suave, Scarlet respondió. —Agente Sofía, cariño, esa es una buena pregunta. No sabemos la respuesta con seguridad. Creemos que podemos arreglar las cosas, pero puede llevar un tiempo.

Fue entonces cuando me di cuenta de que destruir la cúpula podría significar que Tengolandia ya no sería lo mismo. También sabía que si fuera un niño de Tengolandia, preferiría saber cómo era Producción que vivir en un mundo que en realidad no comprendía. —Es mejor que nos marchemos —dije.

Despilfarrador Supremo nos dio a cada uno una mochila. Tenían todas las herramientas que necesitaríamos para nuestro viaje. Ruckus puso a Gusano en una pequeña caja plástica con orificios para respirar. Así podría viajar en mi bolso sin ser visto.

—Tranquilos, amigos —dijo Gusano mientras lo poníamos adentro de la caja—. Me echaré una siestita y los veré en Utopía. —No era el insecto más limpio, pero nadie podía decir que no servía.

Fue difícil despedirse de todos. Scarlet nos arreglaba el cabello y la ropa con su pico constantemente. Repetía una y otra vez lo orgullosos de nosotros que estaban todos en RSP. Nos prometió que iba a escribirle personalmente al Sr. García para contarle que éramos unos alumnos excelentes.

Eulalia nos abrazó a todos muy fuerte. Nos dijo que éramos los mejores amigos que una niña podía tener. Tomás no se comportó fríamente para nada. Hasta dijo algunas sensiblerías acerca de cómo le escribiría todo el tiempo. Eulalia es una de esas niñas que no puedes evitar que te guste. Todos la íbamos a extrañar.

Ruckus consoló a Scarlet con un abrazo de su ala y dejó escapar algunas carcajadas de despedida. Los Despilfarradores de Tiempo nos dieron algunos consejos finales. Luego, Resplandor y Kitty dieron brincos por toda la sala en un jugueteo de despedida. Eso puso nerviosos a los Despilfarradores de Tiempo.

Cuando el elevador finalmente se abrió en las polvorientas llanuras de Producción Oriental, sólo éramos tres. Los tres respiramos profundamente y nos dirigimos a Tengolandia. Tomás comenzó a silbar una canción, como hace cuando está pensativo o nervioso. Después de un rato, Jesica y yo nos sumamos. A esas alturas, sentí que me quedaba sin palabras. Nuestra canción me dio valor para lo que venía.

No pasó mucho tiempo hasta que tropezamos con el borde de la cúpula transparente. Sentí la superficie. Era dura como una roca.

Ha llegado el momento —dijo Tomás.

Sacamos las botas antigravedad, que habíamos estado ensayando cómo usar caminando por las paredes de Despilfarro de Tiempo S.A. Hacían un ruido de *ventosa* con cada paso. Fue un viaje de altura por la cúpula.

Los Despilfarradores de Tiempo nos habían dado un mapa para que pudiéramos encontrar la sede central de Tengolandia. Allí estaba la Mansión Salvaje y el Jardín Energético. Nuestras capas nos mantenían seguros de la peor contaminación, pero el viento y el polvo empeorarban a medida que subíamos por la cúpula. Pasamos por varias aldeas de hojas-vainas. Finalmente, estuvimos en una isla en medio de un río centelleante. En algún lugar allí estaba el Jardín Energético. Me estremecí cuando miré por la cúpula, y recordé cómo me había sentido el primer día en Tengolandia, cuando me había dado cuenta de las intenciones de Maléfico.

Todos sacamos nuestros plumeros de los bolsos. Aparentemente, son las plumas de las aves las que permiten viajar por la cúpula. Podíamos engañar a la cúpula tocándola con los plumeros. Las computadoras en la sede central de Tengolandia podrían detectar que éramos impostores en cualquier momento. Esperábamos lograr nuestra misión antes de que Maléfico nos atrapara.

Los tres nos miramos. Realmente íbamos a hacerlo. Mi corazón latía tan fuerte en mis oídos que apenas podía oír mi propia voz. —Hagámoslo juntos, a la cuenta de tres.

—Contamos, pasamos los plumeros y atravesamos la cúpula

sin contratiempo alguno. Caímos por el aire y rápidamente tiramos de la cuerda de nuestros paracaídas. Un material transparente se abrió sobre nosotros, y así aminoramos la caída. La vista desde arriba nos dio otra idea de lo bello que era Tengolandia.

Miré hacia arriba, pero Producción había desaparecido de nuestra vista. Comencé a tener dudas. Me preguntaba si los niños de Tengolandia realmente querrían saber la verdad. ¿Quién querría abandonar este lugar?

De repente mi cerebro se nubló. Ni siquiera tenía espacio en mi cabeza para hacer conjeturas. Cuando aterrizamos, vi un cartel que decía: "Bienvenidos a Bosque Enmarañado". Allí estaba con un montón de otros anuncios. Los anuncios decían: "No pasar" y "Propiedad privada". Luego todo volvió a ser como antes, cuando mi cerebro se había llenado de enredos y nudos, y casi me caí del lomo de Scarlet. Sentí como si sólo pudiera encontrar el final de la maraña, como si pudiera tirar de él y convertir el desorden en un río tranquilo. Pero era imposible. No había final alguno que pudiera encontrar. Las raíces de los árboles comenzaron a rodear mis tobillos y muñecas. No podía pensar una sola cosa.

Fue entonces cuando oí el sonido como el del viento entre los árboles. Una música pura y fuerte llenaba el aire. El dulce zumbido comenzó a aflojar el nudo de mi mente. Noté que la voz que producía los sonidos mágicos era de Jesica.

Bosque Enmarañado, Bosque Enmarañado
Lleno de lodo de cerebro.
Sé que hay una canción limpia
Debajo de esa mugre.

Canta conmigo, oscura maraña,
Tu canción desenredante.
Hasta que lo tenebroso tenga sentido,
Y entonces continuaremos.

De repente, me sentí libre. Corría más rápido que nunca. Miré a mi alrededor para asegurarme de que los demás estaban cerca. Me di cuenta de que la canción de Jesica había convencido a la maraña de convertirse en viento que corría detrás de nosotros. Ahora estábamos corriendo delante de él. La cola de caballo de Jesica le seguía el rastro mientras cantaba. Me preguntaba cómo una chica tan genial como Jesica Mixer había tenido problemas para integrarse en la Primaria Henry David Thoreau.

—No sé cómo hiciste eso. ¡Eres un genio! —gritó Tomás al hacerse camino entre los árboles.

Tan pronto como salimos del bosque y comenzamos a recuperar nuestro aliento, apareció un ejército de lustrosos robots plateados de la nada. Inmediatamente, todo tipo de objetos silababan a nuestro alrededor, demasiado cerca como para sentirnos cómodos.

—Rápido, tomen sus escudos de bolsillo —grité. Los Despilfarradores de Tiempo nos habían dado escudos fuertes como los que usaban los caballeros (sólo que podían plegarse hasta alcanzar el tamaño de una calculadora de bolsillo). De repente me di cuenta de que los robot nos estaban atacando con basura vieja: esferas hechas de tenedores de metal, tapas de latas de aluminio que parecían dientes rotos, bombas de papel empapadas en lodo que eran como pelotas gigantes de saliva, y frascos de fijador para el cabello fundidos como bolas de cañón. Los robots parecían ser robots de guerra especiales. Trabajaban de a dos (los brazos de uno de los robots actuaban como catapultas que el otro robot cargaba con basura). Su ataque nunca terminaba.

—¡Aceite de robot! —gritó Tomás. Todos sacamos de nuestras mochilas pistolas de agua llenas de grasa para robot de lujo. Los Despilfarradores de Tiempo nos habían pedido usar esa costosa arma solamente en caso de una emergencia. Si alguna vez hubo una emergencia, era ahora.

Le apunté a un robot y lo empapé con aceite cuando estaba por lanzarle a Jesica un viejo zapato puntiagudo. Instantáneamente, la máquina dejó caer el stiletto que tenía en la mano y comenzó a frotarse con el aceite. Parecía como si se estuviera enjabonando en la ducha. De repente, el campo estuvo lleno de sonidos como los de las melodía de los espectáculos de Broadway. —Cantando bajo la lluvia —pitaba un robot, mientras aceitaba sus axilas—, nada más que cantando bajo la lluvia. Qué sensación gloriosa. ¡Soy feliz de nuevo! —Quién sabe de dónde habían sacado esa canción los robots. Aparentemente, el baño de aceite representaba tanta felicidad que se olvidaron completamente de defender la propiedad de Maléfico.

Nos deslizamos con rapidez fuera de su alcance y entramos al Jardín Energético. Su asqueroso olor hacía que fuera un lugar fácil de encontrar. Sentí que temblaba. Sabía que teníamos que terminar con esto lo más rápido posible.

La Mansión Salvaje se elevaba en la colina que estaba frente a nosotros, y el Jardín Energético la rodeaba por todas partes. El castillo era todo de vidrio. Supongo que era para que Maléfico pudiera ver su jardín en todo momento.

Pude ver elevadores y escaladores que subían y bajaban del castillo. No había tiempo para ver la estructura en detalle. Teníamos que poner esa semilla de jade en la tierra.

Los tres nos tiramos al piso de barriga. Lo hicimos para que fuera difícil que nos vieran desde las ventanas del castillo allá arriba. Abrí mi mochila para dejar salir a Gusano. Cuando abrí la tapa de su caja, parpadeó lentamente varias veces.

—Ey, amigos, ¿qué hay de comer? Algo huele muy bien en este momento —estiró el cuello. Luego fijó sus ojos (que normalmente estaban medio cerrados) en la flor más grande que jamás había visto. Justo frente a la entrada del castillo había un pimpollo arrugado, de aspecto gomoso y de color púrpura y verde. Tenía unos 12 pies de alto. El pimpollo, así como todo el resto del jardín, parecía tener vida.

—Esa debe ser la flor cadáver que alimenta el miedo de los seres humanos y mantiene la cúpula en su lugar —susurró Jesica.

Yo no podía hablar. El mundo había comenzado a funcionar como una casa de espejos, todo tambaleante y extraño, y las voces no tenían sentido. El olor era muy fuerte. Podía sentir el sabor de la putrefacción. Podía sentir el terror de toda la gente en Tengolandia sobre mí. Creo que puse la semilla de jade en la pequeña cartera de Gusano. Después perdí contacto con todo lo que era real. Comencé a sentir el peor sentimiento que jamás he conocido. La putrefacción y la pestilencia roían mis huesos. Algo muy malo había atravesado mi piel para atacarme desde adentro. No sabía cómo detenerlo.

Por supuesto, tú sabes cómo detener eso, dijo una

voz. ¿Cómo había hecho Tomás para meterse en mi cabeza, donde todo era tan oscuro y sabía que estaba sola?

Sabes que tienes que concentrarte mucho. Sigue nuestras voces. Tú puedes. Ahora también escuchaba a Jesica. ¿Cómo podían estar en mi cabeza y conocer mis pensamientos? Traté de seguir las voces, pero había tanta oscuridad. El olor me provocaba náuseas y me hacía retroceder cada vez que lo intentaba.

No podemos terminar esto sin ti, Sofi, decía Tomás.

Pensaba en Resplandor, Eulalia y todos los miembros de la RSP. Vivían en medio de las tinieblas y el polvo, y aun así tenían esperanza en el futuro. El dolor de mis huesos se redujo un poco. Me obligué a subir por la podredumbre hacia mis amigos.

Nunca antes había estado tan feliz de ver a alguien. Al principio, nada más miré de reojo a la luz y disfruté la manera en la que el aire puro entraba y salía de mis pulmones. Sin embargo, ahora que el mundo recuperaba sus fronteras normales, vi que Tomás y Jesica estaban preocupados. Habría tiempo de disfrutar de la respiración más tarde.

—¿De qué me perdí? —pregunté con voz ronca, pero fuerte. Estaba lista para terminar nuestra misión de una vez por todas.

Entonces escuchamos las sirenas.

10

Maléfico Salvaje

Unas luces rojas se encendieron alrededor de la flor cadáver. Sonaron las sirenas. Era como si una tormenta de camiones de bomberos viniera hacia nosotros. Parecía que Gusano, que se suponía debía plantar la semilla de jade y salir tranquilamente del jardín, no hubiera podido resistir el pestilente hedor de la flor cadáver. Y ahora estaba saltando feliz de un pimpollo gigante a otro. Estaba activando el sistema de seguridad y causando estragos.

—Amigos agentes secretos, espero que esto no sea muy latoso para sus planes —dijo gritando desde uno de los gomosos pimpollos—. Es que este jardín es una tentación muy grande para una mosca de la carne de baja moral como yo, ¿saben? ¡Tranquilos, amiguitos del pasado! —dijo, y se alejó de nosotros saltando. (*Tentación* debe de ser la palabra más grande en el vocabulario de Gusano, Ookie. Espero que no te cause problemas. Quiero decir, "algo tan bueno o tentador que no te puedes resistir").

Oí un siniestro pitido detrás de nosotros, pero una hoja que caía de la flor cadáver me distrajo. ¿Había plantado Gusano realmente la semilla de jade antes de irse de

aventura botánica? ¿Ya estaba comenzando a brotar la planta de la amistad en esa futurista tierra de crecimiento rápido? ¿Había funcionado nuestro plan?

—¡Miren al cielo! —gritó Jesica. El gris cielo de Producción ahora estaba al lado del azul radiante de Tengolandia. ¡La cúpula estaba desapareciendo! Mientras tanto, un grupo de robots bien aceitados se estaban acercando. Nos atacaban con cualquier tipo de basura que encontraban.

—¡Corran! —gritó Tomás. Todos corrimos al castillo, nuestra única ruta de escape. Lo único que necesitábamos era encontrar nuestra goma de mascar teletransportadora y salir de allí. Sin embargo, los robots, todos flexibilizados, ahora eran más rápidos y más atemorizantes que antes. No podía ver cómo escaparíamos.

Llegamos a las escaleras que conducían a la Mansión Salvaje. De repente, los robots comenzaron a zumbar sin poder evitarlo. ¡No podían subir las escaleras! Mientras ellos buscaban otra forma de subir, nosotros entramos corriendo. Cerramos la puerta de un golpe para escapar de un estrépito de viejos celulares que nos arrojaban por la cabeza.

Dentro del castillo sentí un escalofrío que me corría por la espalda. Todo era frío y estaba hecho de vidrio. Las paredes, los escaladores y los elevadores ahora se erguían espeluznantes por todos los grandes pasillos. Creo que con la flor cadáver marchita, ya no había lugar para la energía. Todo estaba muy limpio. El sonido de cada paso nuestro hacía eco. El lugar era como un centro comercial que nunca nadie había visitado.

Miré a través de una de las ventanas altas del castillo. La vista de Tengolandia era hermosa. Luego miré hacia abajo. Pude ver algo interesante más allá de las verdes hierbas.

Los niños en sus bicicletas voladoras estaban dando vueltas por Producción. Estaban espiando por los orificios de trabajo y revisando cosas. Los adultos también estaban allí. Trataban de imaginar qué estaba pasando y se aseguraban de que todos usaran sus capas protectoras. Los productores sacaban sus pálidas cabezas del suelo. Los habitantes de Tengolandia los ayudaban a salir. Ahora que Maléfico ya no controlaba su miedo, apuesto a que habría mucho sobre lo que los habitantes de Tengolandia querrían saber.

Por alguna razón, miré hacia arriba. Me encontré a mí misma mirando a través de varios pisos de vidrio y encontré un par de ojos color rojo sangre. Sabía que esos ojos sólo podían pertenecer a una sola criatura: Maléfico Salvaje.

Maléfico era absolutamente horrible. El híbrido tenía el aspecto de un ser mitad pterodáctilo y mitad hiena. Puso sus ojos directamente sobre mí. Luego dejó escapar un grito agudo que nunca olvidaré. El ruido sonaba como un alarido que podría producir un animal herido, furioso o hambriento. Cuando Maléfico comenzó a correr como loco por las escaleras, supe que no había tiempo que perder.

—¡Goma! ¡A mascar! ¡Ya! —les grité a los demás. Todos tiramos de nuestras mochilas para buscar nuestra décima y última porción de goma teletransportadora. Nos echamos los alargados rectángulos a la boca y masticamos como si nuestras vidas dependieran de eso (porque en realidad, así era).

Comencé mi burbuja y por el rabillo del ojo vi lo horrible que en realidad era Maléfico. La bestia-pájaro estaba llena de músculos y odio. No parecía muy feliz de perder su poder. Su pico estaba abierto. Su boca tenía hileras de dientes afilados y llenos de grasa. La corona nudosa que tenía en su cabeza azul se había puesto morada de ira.

Justo cuando mi globo de goma de mascar estaba por levantarme del suelo, miré a Tomás. Sus ojos estaban abiertos de terror. Se estaba agarrando el cuello con las dos manos y no había goma de mascar en su boca. Jesica y yo reventamos rápidamente nuestros globos y volvimos a poner la goma en nuestra boca.

—¿Qué pasa? —grité, y noté que Maléfico estaba a sólo un escalón de clavar sus malvadas garras sobre nosotros.

—Me la tragué —gruñó Tomás completamente aterrorizado. Recordé que había hecho eso antes yo también, una vez que me estaba riendo tanto que no podía respirar. Pero esto no era nada gracioso ahora. Sabía que si entrábamos en pánico, estábamos acabados. Lo que necesitábamos hacer era escapar de Maléfico de inmediato.

—Pónganse las botas antigravedad —dije y me puse las mías lo más rápido que pude. Los otros hicieron lo que les dije—. Ahora, suban esa pared. ¡Rápido!

Me siguieron por los muros del asta de un elevador justo cuando Maléfico embestía contra Tomás. Su pico dentado picoteaba nuestros talones, pero ganamos algunos segundos para pensar.

—Él no puede volar, ¿se acuerdan? —dije sin aliento—. Necesitamos armar un plan.

—No hay otra manera de volver a casa —Tomás señaló, realmente preocupado.

Me dirigí a Jesica. —¿Recuerdan cuando hablaron con Griffon telepáticamente? ¿Podían oír su voz en su cabeza? ¿Parecía como si él podía leer sus pensamientos?

—Jesica asintió.

—Entonces, creo que puedes hacer esto sin usar la goma de mascar, Tomás. Los Despilfarradores de Tiempo no

inventaron esta goma sólo para los niños. Es para que todos la usen, hasta los adultos. Somos mucho más livianos que cualquier otro viajero del tiempo. Debería haber energía extra en nuestra goma que te pueda transportar a ti también. Cuando me desmayé en el Jardín Energético, ustedes me salvaron hablándome y ayudándome a encontrar la salida, donde sea que haya estado. Si unimos nuestras mentes y hacemos esto juntos, creo que podemos llevarte de vuelta a casa. —No era seguro, pero no veía otro modo. Los robots habían llegado a una cuesta para alcanzar la entrada trasera del castillo, y Maléfico les ordenaba dirigirse en nuestra dirección. Debíamos intentarlo.

Tomás mordió sus labios y asintió con la cabeza. Los tres nos tomamos de las manos, y Jesica y yo mascamos y soplamos, y flotamos en el aire tratando de esquivar la basura que volaba a nuestro alrededor. Tomás flotó con nosotras. Pronto estuvimos girando tan rápido, que no tenía idea de dónde estaban las cosas, o si Tomás se había quedado en el futuro o no. Entonces, de repente, estuvimos de pie en nuestro siglo: justo enfrente de la Henry David Thoreau.

El sonido de la bocina de los automóviles y los niños jugando en la estructura de barras llenó mis oídos. Jesica estaba junto a mí. Su cabello no estaba sobre sus ojos, y pude ver que ella se sentía tan miserable como yo. Tomás no estaba. La idea de pensar que estaba solo con Maléfico y los robots guerreros me hizo sentir horrible. En un instante, el Sr. García corría hacia nosotros, sin darse cuenta de que habíamos dejado a su alumno, y uno de nuestros mejores amigos, en las manos de un maniático.

—¡Niñas, al fin! Ya empezaba a preocuparme. ¿Dónde está Tomás? —Mi mente corría a toda velocidad, tratando de pensar en cómo volver al futuro para rescatar a Tomás y en cómo explicarle esto al Sr. García.

—Tomás Craver, tienes que salir de esos arbustos ya. ¿Acaso estás en segundo grado? Honestamente, niños. —la boca del Sr. García se contuvo. Nos hizo su usual mirada sin sentido y se volvió a ver a un grupo de otros niños que acababan de llegar.

Tomás salía arrastrándose desde abajo de un arbusto. —Gracias por soltar mi mano durante el aterrizaje, chicas. Nada como caer de mentón en una planta de ortiga para hacerte sentir en casa. —Tenía una gran sonrisa, tan feliz como nosotras de estar de vuelta en casa. Jesica y yo nos tiramos encima de él, al estilo de Eulalia. No pudimos evitarlo.

Habíamos sobrevivido a la semana más loca de nuestras vidas.

—Ejem… —dijo Tomás, separándose de un codazo de nosotras y dirigiéndose al patio de la escuela. ¿Iba a jugar basquetbol con sus amigos después de que Maléfico casi lo convierte un ganso asado? Después pensé: ¿Por qué no?

Lo vi dirigirse a la cancha y después me acerqué a Jesica.

—¡Ey! —dije—. ¿Quieres venir a cenar a mi apartamento? Mi mamá hace unos macarrones con queso deliciosos.

—Sofía

11

Entrega especial

Sábado, 20 de junio de 2009

Querido Ookie:

Cuando me desperté esta mañana, oí un aleteo en mi ventana. Tuve esa sensación que experimentas después de tu cumpleaños o después de que sucede algo realmente importante (algo feliz, pero un poco desilusionada porque se terminó). Visitar el Jardín Energético y descubrir los problemas del futuro fue definitivamente aterrador, pero también fue emocionante. Me hizo darme cuenta que los Despilfarradores de Tiempo tenían razón: soy bastante buena resolviendo problemas, y mis preguntas me ayudan a descubrir cosas. También comprendí lo que el Sr. García se refería cuando decía que no debía juzgar las cosas demasiado rápido. Si lo hubiera hecho, nunca hubiera conocido a Eulalia y a Resplandor. Y nunca hubiera descubierto lo que necesitaba hacer (en el presente) para detener a Maléfico en el futuro.

Bostecé, saqué mis piernas de la cama y fui hasta el alféizar de la ventana. No se veía ningún pájaro, pero había un sobre detrás de las ondulantes cortinas. Alguien había

escrito *Agente Sofía* con una letra elegante en el frente. Me preguntaba si Eulalia ya podría haber escrito. Cuando saqué la carta del sobre, no ronroneó ni hizo ningún otro ruido. Nada más despidió una brillante luz estable. A través del cálido brillo, pude distinguir estas palabras.

> *Querida Agente Sofía:*
>
> *Has trabajado bien. En nombre de todos los miembros de la RSP, te doy las gracias. Me gustaría darte la bienvenida como nuevo miembro de la Orden Secreta de Operadores de Viajes en el Tiempo (OSOTP). Tu amuleto oficial está en el sobre. Disfruta tu verano. Estaré en contacto.*
>
> *Hasta siempre,*
>
> *Griffon*

Ahora que ya estaba en casa, segura en mi propio dormitorio, todo lo que había ocurrido la semana pasada parecía algo inverosímil. ¿Realmente monté un pájaro, luché con robots, y conversé con un insecto? Esta resplandeciente carta era la prueba de que todo había sido real.

Busqué dentro del sobre. Seguro, había un medallón circular pegado a una cinta verde que tenía grabadas las siguientes palabras *OSOTP, Omnis Tempus Iunctum Est.* No me pregunten qué quiere decir. Voy a preguntarle al Sr. García el lunes.

Más tarde, después de la clase de jiujitsu, me senté con Jesica en las escalerillas. Ella era una chica rara, pero no me molestaba. Julia McNight puede ser popular y perfecta de muchas maneras, pero apuesto a que no puede cantarle a un bosque enmarañado para convertirlo en una brisa inofensiva. Estoy tratando de convencer a Jesica de unirse al coro de la escuela intermedia el año que viene. Creo que sería estupenda. Hasta le conté de ti, Ookie. Ella cree que deberíamos publicar un libro sobre el futuro con sus dibujos y mis textos. Conociendo a Tomás, él haría un video juego sobre eso.

De todas formas, estábamos sentadas hablando sobre la presentación que teníamos que hacer el lunes. No hay forma de que nuestra clase crea todo lo que sucedió. En cambio, los tres decidimos hablar sobre cómo podíamos reducir nuestra basura en la escuela. Ahora sabíamos que el papel a medio usar de hoy era una pelota de saliva del tamaño mortal de una bola de cañón en el futuro. No dejaré que eso ocurra. *Créeme.*

Estábamos pensando en asaltar el refrigerador, cuando un grupo de chicos de nuestra clase llegó a las escalerillas.

—¡Ey! —dijo Tomás mirando hacia arriba cuando pasaba un avión sobre mi edificio de apartamentos. Observé que tenía un objeto redondo del tamaño de un amuleto colgado de su cuello, debajo de su camisa, tal como Jesica y yo—. Chicas, ¿quieren venir a hacer unos tiros con nosotros? —No podía creerlo. ¿Estaba Tomás Carver realmente hablándole a dos chicas enfrente de sus amigos?

Jesica miró a Tomás y preguntó —¿Acaso las chicas no son ilegales en las canchas de basquetbol?

Tomás parecía avergonzado. Se miraba la punta de los tenis. Luego, su amigo, Henry, se adelantó. Henry tiene casi el tamaño de una máquina de gaseosa. —Acá la Res dice que es genial. Ya no estamos en cuarto grado. Además, dice que tú eres bastante buena, Sofi.

—No está mal —dije. No pude evitar sonreír cuando saltamos de las escaleras y nos fuimos hacia la cancha.

La semana que viene, la escuela estará cerrada por vacaciones. Tengo a dos de los mejores amigos del mundo para compartir mis vacaciones aquí en Nueva York. Tal vez hasta viaje a las Islas Canarias para visitar a mi padre por un tiempo. Hay tantas posibilidades, y tengo algo que creo que te gustará, Ookie: *anticipación*. Eso es, siento que todo podría pasar. ¡No puedo esperar a averiguar qué cosa!

—*Sofía*